Fragmentos
de vida

Marcello Cerqueira

Fragmentos de vida

✷ MEMÓRIA

SELEÇÃO E NOTAS DE
GUSTAVO BARBOSA

Rio de Janeiro
2017

Copyright © 2017, Marcello Cerqueira

Editor
José Luiz Alquéres

Coordenação Editorial
Dênis Rubra

Apoio de pesquisa e redação
Cyro Viegas

Capa
Estúdio Insólito

Imagem de capa
Gabriel Paiva | Agência O Globo

Projeto gráfico e diagramação
Fatima Agra | FA Studio

O autor agradece a *Augusto Sérgio Bastos*
pela colaboração na revisão dos textos originais

A editora agradece aos amigos de Marcello Cerqueira que viabilizaram esta edição
Jacob Kligerman
Joaquim Falcão
José Luiz Alquéres
Márcio João de Andrade Fortes
Rogério Monteiro – o " Senador"

CIP-BRASIL. CATALOGAÇÃO NA PUBLICAÇÃO
SINDICATO NACIONAL DOS EDITORES DE LIVROS, RJ

C395f

    Cerqueira, Marcello, 1939-
    Fragmentos de vida: memórias/Marcello Cerqueira, seleção e notas de Gustavo Barbosa. — 1. ed. — Rio de Janeiro: Edições de Janeiro, 2017.
    328 p.: il.; 23 cm.
    ISBN 978-85-9473-012-1
    1. Brasil — História — 1964-1985. 2. Brasil — Política e governo — 1964-1985. 3. Ditadura — Brasil. 4. Governo militar — Brasil. I. Barbosa, Gustavo. II. Título.

17-43331   CDD: 981.063
                                    CDU: 94(81)"1964/1985"

Todos os direitos reservados e protegidos pela Lei 9.610, de 19.2.1998.
É proibida a reprodução total ou parcial sem expressa anuência da editora e do autor.
Este livro foi revisado segundo o Acordo Ortográfico da
Língua Portuguesa de 1990, em vigor no Brasil desde 2009.

EDIÇÕES DE JANEIRO

Rua da Glória, 344, sala 103
20241-180 | Rio de Janeiro, RJ
Tel.: *+55 (21) 3988-0060*
contato@edicoesdejaneiro.com.br
www.edicoesdejaneiro.com.br

À memória de meu irmão
Siéberth Cerqueira:
um homem bom.

Por Marcello Cerqueira,
lá de Grajaú.
Antigo sambista.
Poeta e modista,
marrento e bairrista,
sinais de perícia
queria ser motorneiro
aviador
jornaleiro
baleiro
cantador
e violeiro.
Acabou advogado.

Assim, seguimos adiante, barcos contra a corrente,
arrastados sem trégua rumo ao passado

(F. Scott Fitzgerald, *O grande Gatsby*).

Isto não é uma biografia, nem tampouco um livro de memórias.
Num e noutro sentido, tenho utilizado em minhas obras
tudo quanto me aconteceu no decorrer da existência.
Muitas vezes uma experiência pessoal me serviu de tema
e inventei uma série de incidentes para ilustrá-la; mais vezes ainda
tomei pessoas com quem mantive relações superficiais ou íntimas
e utilizei-as como base para personagens de minha invenção.
Tão mescladas se acham em minha obra a realidade e a ficção que, agora,
olhando para trás, dificilmente posso distinguir uma da outra

(W. Somerset Maugham. *Confissões. The Summing Up*).

Todos nós, inevitavelmente, escrevemos a história de nosso próprio tempo
quando olhamos o passado e, em alguma medida,
empreendemos a batalha de hoje no figurino do período

(Eric Hobsbawm, *Ecos da Marselhesa*).

Eu amo tudo o que foi

(Fernando Pessoa).

Pois na lembrança prendemos a própria vida/ Ternamente, na concha das mãos Guardo dentro de mim um museu de tudo que vi e amei na vida

(André Malraux).

Eu só falo da vida e, de certa forma, estou falando de mim por ela

(Este autor ousou modificar expressões no verso do poeta João Cabral de Melo Neto, a quem, por ser grande, se perdoa a birra com Fernando Pessoa).

Vou voltar/ Sei que ainda vou voltar/ Para o meu lugar

(Tom Jobim e Chico Buarque, "Sabiá").

Sumário

PREFÁCIO **Carlos Ayres Britto** 14

CAPÍTULO 1 **Um menino de Grajaú, filho de Dona Marília** 18

    Sou louco por ti, Grajaú 23
    A Estrela 29
    Jasmim 31

CAPÍTULO 2 **Anseios da juventude não se desvanecem** 32

    Raízes 37
    Outono na Serra 38
    A missa e a namorada 39
    Le Petit Paris 40
    Dolce & Gabbana 42
    Pesquei a Lua 44
    A conquista do céu 45
    Caixinha de Música 46
    Plenamente 48
    Nho-tô-tico 49
    O tamanco 51

CAPÍTULO 3   **Histórias de um jovem militante**   52

Pierrô e Colombina   57
A tarefa   60

CAPÍTULO 4   **O golpe militar de 1964**   66

Combatendo nas trevas I e II   73
Antígona e os limites do poder civil   88
A verdade do direito de memória   91
O Poder Moderador   95
Os caminhos e o sopro   97
Ainda os caminhos   103
Almoço com Waldir Pires   107
O agente internacional   110
Contraordem   116
Auroras de outrora   117
A rosa e a ferradura   119
Circo   120
Anistia: quando a liberdade abriu asas   121

CAPÍTULO 5   **O exílio é uma prisão sem grades**   126

O refugiado   131
A metade exilada   132
O encontro   143
Calendário   155
Santiago do Chile   157
Pelas ruas de Buenos Aires   159

CAPÍTULO 6   **Advogados em luta pela democracia**   162

    O advogado é o único senhor de sua pessoa   175
    Tô qualificando   188
    Conselheiro, o senhor bebe?   190
    A Terra é da Santa   193
    Seu Manoel João   196
    Um incerto Coronel   199
    Caminhos que se cruzam   201
    O sapato de Humphrey Bogart   208

CAPÍTULO 7   **Atuação no Congresso Nacional**   216

    Campos santos   226
    Mas eles queriam o bem!   227

CAPÍTULO 8   **Personagens inesquecíveis**   234

    A chave do parque   241
    Incêndio na churrascaria   243
    A chave do romance   246
    A vida não é líquida   250
    A foto e a história   254
    Cabo Lyra   256
    O Dito & o Feito   258
    Leila Diniz   261

CAPÍTULO 9 **Andanças** 264

        Chão sem estrelas 267
        É preciso querer tudo 269
        Meia-noite em Paris 273
        Meia-noite de Woody Allen 276

CAPÍTULO 10 **O professor** 278

        Fazer amigos e influenciar pessoas 281
        O risco do jurídico 282
        O voto de Minerva 286
        Ficha limpa: uma proposta 289

CAPÍTULO 11 **Hoje, amanhã e depois** 292

        O judeu e o ciclista 295
        O neto e a moça 299
        O menino e o cachorro 302
        Manifesto do Cosme Velho 306
        Considerações sobre a chuva 308
        Considerações sobre o sopro 310
        De mim 316
        Ah! Verão 317
        A flecha e o tempo 319
        O tempo e o vento 320

POSFÁCIO   **Ênio Silveira** 322
REFERÊNCIAS 325

PREFÁCIO

Carlos Ayres Britto

Conheço um poeta pelo cheiro azul de suas palavras. Cheiro de céu lavado pelas lágrimas de emoção dos anjos, que têm na leitura dos poetas as suas primeiras aulas de alfabetização. Como devia ser nas escolas do mundo inteiro.

Aqui, neste livro, o que se tem? Um Marcello Cerqueira dominantemente cronista, mas a incursionar tanto pelos estelares domínios da poesia pura quanto da prosa poética mais evocativa daquele tipo de "Lua de São Jorge", a que o gênio de Caetano Veloso se referiu como "cheia, branca e inteira". Lua que ele, Caetano, tinha como a sua particular "bandeira, solta na amplidão". O que já significa um escrever depuradamente literário e, portanto, imagético, eufônico, rítmico. Qualidades a que se agrega o estilo narrativo, pespontado de parágrafos curtos, fina ironia e refinado senso de humor. Mas também pontilhado de enfáticas frases de repúdio a condutas oficiais tidas pelo autor como injustas, materialmente, ou, então, em rota de colisão com o que ele defende (e bem) como inviolável Estado Democrático de Direito.

Em verdade, esta obra de sapiência, cultura e posições firmes, que tenho o imenso prazer de prefaciar, é uma confirmação do talento comunicacional do seu autor. Talento de que ele dá transbordantes demonstrações nos seus escritos de experimentado jurista e militante político de esquerda. Jurista e político no falar desenvolto, político e jurista no escrever sedutor. Isso por saber ajustar à mais estética embalagem vocabular o vigoroso conteúdo analítico dos seus juízos sobre a complexa realidade política, econômica, jurídica e cultural desses tempos de internetização da vida e planetarização de sonhos. E dos tempos duros do regime de exceção que vigorou, entre nós, por 21 intermináveis anos.

É isso mesmo. A busca da precisão ao analisar e ao descrever as coisas com objetividade não perde nada com seu encaixe num molde vernacular de belo talhe. Nenhuma culpa tem Marcello Cerqueira por ser, antes de tudo, um literato. Pelo contrário, é dele o mérito adicional de primeiro sentir, para depois pensar. Como se dá com o ser humano ainda no ventre materno. Sendo certo que o sentimento abre os poros do intelecto e não o oposto.

O livro não me deixa mentir. É só passar em revista os textos nele enfeixados para se constatar que o pensamento do seu autor é muito bem servido por agudos sentimentos de alegria de viver, amor ao próximo e devoção à causa pública. Sentimentos que jorram mesmo desse nosso lado direito do cérebro que é puro coração. Coração-neurônio, claro, e não apenas músculo cardíaco a bater pendularmente do lado esquerdo do nosso peito. E o que sucede com Marcello Cerqueira é o que se dá com todo literato-artista: a corajosa escalada pelas encostas desse Himalaia que é o coração humano, para daí voejar nas asas da imaginação. Para ser tomado de assalto pela intuição. Para se ver no vórtice desse estalar de raio que é a direta percepção das coisas e de si mesmo. Para se abrir por inteiro ao virginalmente novo, porque somente assim é que se aprende a enterrar ideias mortas e se desaprende a ser coveiro de si mesmo.

Esse é o Marcello Cerqueira de quem tanto gosto e a quem tanto admiro: um cientista do direito, um cidadão *full-time*, um arejado pensador, um militante ético, cívico e democrático, um afetuoso amigo, um chefe de família tão prenhe de amor quanto materialmente *mão-aberta*, um literato-artista, enfim. E como todo artista, alguém habituado a personalizar tudo e não apenas os seres humanos. A tratar todas as coisas como um ser, um ente, um organismo vivo. Ora o fulgor do sol, ora o piscar das estrelas, ora a mudança de estados da lua, ora a passagem do vento, ora o movimento das nuvens, ora o trânsito do som para o silêncio e vice-versa, mais o dia a dia dos peixes, animais, as árvores, aves, rios, lagos, mares e tantas realidades e fenômenos que preexistem ao próprio homem. E que, por isso mesmo, têm muito mais histórias pra contar.

Encerro este prefácio com a afirmação de que Marcello, assim acostumado a tudo personalizar, humilde e reverentemente, não podia deixar do lado de fora as palavras de que se compõe o nosso idioma (estas, sim, criação humana). Trata-as também como entidades que efetivamente são. Repositórios de saber. Amigas e confidentes de todas as horas. Disponíveis sempre para a fala, a mímica, o giz, o lápis, a caneta Montblanc, a Bic, o *laser*, a pena e seu tinteiro, o teclado da velha máquina de datilografar e do mais moderno computador ou celular. Ele e elas, as palavras, a desfilar de mãos entrelaçadas pela feérica passarela deste livro tão imprescindível. Um livro que mal esconde a criança carioca e mangueirense que ainda hoje sobe na gangorra do tempo para ficar do tope do adulto setentão que nunca a rejeitou como importuna. Assim como nunca desertou da luta em prol dos economicamente débeis e dos perseguidos políticos, encarnando a santa resistência de que falava T. S. Eliot com esta sentença oracular: "Num mundo de fugitivos, quem toma a direção contrária é quem parece estar fugindo".

CAPÍTULO 1

Um menino de Grajaú, filho de Dona Marília

Sou louco por ti, Grajaú
A Estrela
Jasmim

Vale do Elefante, Andaraí Grande, segunda década do século XX. Antigas plantações de café e cana-de-açúcar transformam-se em loteamentos urbanos. Aos olhos do engenheiro nordestino Antônio Eugênio Richard, o terreno em que ele trabalhava, cercado por montanhas, tinha o formato de um cesto chamado de "grajaú" pelos índios de sua terra-natal. Para marcar o caminho, pegou um pedaço de tábua e, na placa improvisada, escreveu: "Grajaú". Era o nome de sua cidade, no Maranhão. Pouco tempo depois, aquela vereda passaria a ser a rua Grajaú e vários outros logradouros próximos ganhariam nomes indígenas de rios e cidades maranhenses, como Gurupi, Itabaiana e Mearim.

Na rua Grajaú, número 1, esquina com a Barão do Bom Retiro, o engenheiro italiano Francisco Tricárico ergueu sua casa, a primeira do loteamento, em 1914. Quatro anos depois, cumprindo promessa que fizera a Nossa Senhora da Imaculada Conceição, construiu uma capela no seu quintal, que passou a ser frequentada pelos primeiros moradores da comunidade, antes da construção da Igreja Matriz de Nossa Senhora do Perpétuo Socorro, em 1931.

Há outras versões: a vizinhança não teria crescido em torno da pequena capela, e sim de um clube de futebol, o Grajaú Futebol Clube, fundado em 1925 e rebatizado depois como Grajaú Tênis Clube. Até então, aquela região ainda seria apenas uma parte de Andaraí Grande. Foi por causa do clube que os moradores passaram a se referir ao bairro como Grajaú.

Bem antes da capela e do clube, porém, já existia o Andaraí, cenário do romance *Helena*, escrito em 1876 por Machado de Assis. Ali, surgiu a primeira música de carnaval, a marcha-rancho "Ó abre alas", composta, em 1899, por Chiquinha Gonzaga, moradora do bairro, para o cordão carnavalesco Rosa de Ouro. Habitado desde o século XVI, quando foi colonizado por jesuítas, tornou-se um bairro industrial na segunda metade do século XIX. Em torno das fábricas, surgiram vilas operárias, substituindo as antigas chácaras. A rua Borda do Mato foi uma espécie de fronteira para um loteamento mais "nobre", com suas calçadas largas e ajardinadas, lotes espaçosos, casas amplas e bonitas, um bairro-jardim, Grajaú.

Marcello é bairrista como todo grajauense de raiz, embora há muito tempo não seja morador do bairro, mas não lhe faltam motivos para um carinho especial pelos bairros vizinhos.

Em Vila Isabel, moravam Wilmar e Marília. Conheceram-se exatamente à época em que o bairro era celebrizado pelo feitiço dos sambas de Noel Rosa. Marília tinha sido miss Andaraí Futebol Clube e começava sua carreira de professora, quando o enamorado Wilmar conseguiu comprar uma casinha modesta, condição para que se casassem. A pequena casa da rua Castro Barbosa, no Grajaú, viu nascer os dois primeiros filhos, Siéberth (1937) e Marcello (1938), que ainda eram pequenos quando a família se mudou para um apartamento na Barão do Bom Retiro. Ali ficaram pouco tempo, conta Marcello em "Sou louco por ti, Grajaú", pois sua mãe, professora da rede pública do então Distrito Federal, obteve financiamento do Banco da Prefeitura para a compra da casa na rua Gurupi.

No coração do Grajaú, todas as manhãs ele seguia pela Gurupi e caminhava pela Barão de Mesquita até a Escola Panamá, na rua Duquesa de Bragança. Também da Gurupi, ele saía com amigos em direção ao Morro dos Macacos para empinar papagaios, como conta em "A Estrela", singela homenagem ao centenário de nascimento da professora, que era sua própria mãe.

De tempos em tempos, Marcello passeia pelas ruas de sua infância. Na Gurupi, número 75, hoje com um gradeado de ferro aumentando em um metro e meio a sua altura original, o muro cresceu como a casa, que ganhou um segundo pavimento. Em suas lembranças, ele vê saindo pelo portãozinho antigo, que deu lugar a um largo pórtico de madeira, o contador Wilmar Ferreira Cerqueira e a professora Marília de Moura Diniz Cerqueira. O perfume da dama-da-noite que circunda o jardim reaviva saudades.

Meninos ainda soltam pipa nas encostas, hoje densamente ocupadas por favelas. Os limites já não são precisos a ponto de separar o bairro nobre e seu entorno, como nunca foram para o menino que brincava nas ruas e nos morros. E depois percorreu muitas outras paisagens pelo mundo afora, empinou utopias, tornou-se jornalista, advogado, político e escritor, sempre atento à voz das ruas.

(G.B.)

Sou louco por ti, Grajaú!

I

Fiquei pau da vida quando a entrevistadora confundiu Grajaú com Andaraí. Tomava ela notas para a pesquisa do que viria ser a novela *Celebridade* e, informada que eu era do bairro, telefonou-me na busca de antigos acontecidos.

— Como era a vida do bairro? Conhecera Dondon?
— Não, não conheci Dondon, sequer era nascido.
— A vida do bairro?
— Menos ainda. Sou de Grajaú, que é vizinho, mas é outro bairro.
— Ué — disse ela — pensei que era a mesma coisa.

Aí não gostei. Nada contra o Andaraí, até porque, conta a lenda, Mamãe teria sido, em seus tempos, miss Andaraí Futebol Clube, aguerrida agremiação desportiva que disputou, de 1916 a 1938, os campeonatos da Liga e da Associação Metropolitana de Esportes Atléticos e viveu até 1962, quando foi comprado, por Cr$ 60 milhões, pelo brioso América Football Club e o seu estádio recebeu o nome do saudoso amigo Wolney Braune, também antigo presidente do Cordão da Bola Preta, e morador em Grajaú. O dinheiro para a compra foi obtido, por Braune, com a venda do volante Amaro, craque do clube, para o Corinthians. Braune morava na rua Grajaú

> * *Bicompanha*, termo inusitado, mas praticado livremente em Grajaú.

perto da rua Gurupi, casado com dona Filinha, com ela teve duas filhas Marly (bicompanha* da Maria Helena Ottoni, chamada Chiquinha) e Cecília, um pouco mais nova que minha irmã Denise.

Ney Lopes, autor do samba "Tempo de Dondon", foi cunhado e amigo do próprio Dondon, conforme esclarece o genial Sergio Cabral, pai, que ainda informa que a composição data de 1980, tendo sido gravada por Zeca Pagodinho, em 1987, e regravada para a trilha sonora de *Celebridade* por Dudu Nobre.

E rendi-me ao bairro quando soube que o Andaraí, espremido entre Tijuca, Vila Isabel e Grajaú, embora com limites pouco definidos ("O melhor de tudo é este meio-termo de Andaraí; nem estamos fora do mundo nem no meio dele", escreveu Machado de Assis, em *Helena*), começa na rua Agostinho de Menezes e transversais até a rua Duquesa de Bragança e avança até a rua Uruguai.

A rua Castro Barbosa dá sequência, ultrapassada a Barão de Mesquita, à rua Duquesa de Bragança. Pois bem, eu nasci (meu irmão Siéberth, também) precisamente na rua Castro Barbosa e fiz meu primário na Escola 5-8 Panamá, exatamente na rua Duquesa de Bragança, tendo sido minha mestra em todo o curso a professora Marília de Moura Diniz Cerqueira, vice-diretora da Escola e inseparável da diretora dona Alzira Maria Menezes de Magalhães, uma grande dama.

Papai só queria casar depois de comprar uma casa, por modesta que fosse. Retardou o casamento, mourejou e comprou a casinha na rua Castro Barbosa. A casa entrou em nossas vidas em ocasiões diferentes e que adiante vou contar.

Curioso, vou garimpar o antes e encontro que, desde os primórdios da Cidade do Rio de Janeiro, entre 1572 e 1583, na Sesmaria dos Jesuítas, foi instalado o primeiro engenho de cana-de-açúcar, no local que depois veio a se chamar São Francisco Xavier do Engenho Velho, em terras que se estendiam para o norte da cidade até o Andaraí, que eram dois: Andaraí Grande, que começava na Estrada do Andaraí Grande, hoje Barão de Mesquita, e se estendia pelos atuais Bairros do Andaraí, Grajaú e Vila Isabel; e o Andaraí Pequeno, que ficava entre a Praça Saens Peña e o alto.

O Grajaú é um bairro da zona norte do Rio e seus limites são o Alto da Boa Vista, Andaraí, Engenho Novo, Jacarepaguá, Lins de Vasconcelos, Tijuca e Vila Isabel. E os limites ainda assim são imprecisos, tanto que a Fábrica Confiança, por exemplo, parte fica no Andaraí e parte em Vila Isabel. Hoje supermercado, ontem dela valeu-se Noel para compor "Três Apitos", misturando os fatos porque a inspiradora, na verdade, trabalhava numa fabriqueta de botões, o que não dava rima e nem tinha apito; nem Noel seria capaz de ritmar apito da fábrica de botões.

E nada a desfazer do Andaraí, digo, agora, reconciliado com minha origem, que o Andaraí já foi mais importante que a Tijuca. A compositora Chiquinha Gonzaga, por exemplo, morou no bairro e ali criou, em 1899, para um cordão carnavalesco do bairro, o Rosa de Ouro, o célebre "Ó abre alas". Nessa época, o bairro era um local de compositores e simpatizantes da música popular brasileira e, mais adiante, do carnaval carioca. Nossa vizinha, Vila Isabel, onde viveram meus pais, seria imortalizada nas criações de Noel Rosa.

De mim, sustentei, nos carnavais da década de 1960, descabelada paixão por uma linda moradora da rua Leopoldo (uma vila, fieira de casas brancas e iguais, com janelas azuis). Passava pela rua em demanda à Praça Sachet aonde iríamos tomar o bonde para o Centro num animado bloco de sujos, todos fantasiados de neném, com chupeta e mamadeira de cachaça, além da bundinha suja de abacate. Os tamancos nas mãos ritmavam a marchinha "Mamãe eu quero". Tropecei num disforme paralelepípedo (ou na cachaça?) e caí justo em cima da menina; morena, tranças, saia azul plissada, pernas grossas, sorriso de dentes perfeitos, boca para beijos. Desculpas e coisa e lousa e começamos a conversar. O bloco, impaciente, chamava-me aos berros (olha o bonde, porra!), e mal tive tempo de ganhar seu telefone que o quase-porre não me impediu de decorar.

A rua Leopoldo conhecia namoros de mãos-dadas e beijos furtivos. O Hospital do Andaraí, pela tarde, projetava protetora sombra e, à noitinha, nos abrigava encostados em seus muros. No final do dia, trabalhadores passavam apressados para seus barracos no pacato Morro do Andaraí, hoje tomado pelo tráfico com seu cortejo de horrores e abandono.

Além de meus pais, meu irmão e eu, morava conosco minha avó paterna. Deu-se que minha mãe não afinava lá muito bem com minha avó Alvina e, talvez, por isso tenhamos nos mudado para um apartamento térreo de um pequeno prédio na rua Barão do Bom Retiro, quase esquina da avenida Engenheiro Richard. Muito criança, tenho escassas recordações dessa estada. Também ficamos pouco tempo por lá. Mamãe, professora primária do Distrito Federal, pleiteou e obteve financiamento do Banco da Prefeitura, a perder de vista, e compramos a casa da rua Gurupi, número 75, onde nasceu minha irmã Denise (papai chamava-a de Neném, eu também) e de onde só sairíamos para nos casar.

Eram duas casas iguais e, na sequência, a entrada de uma vila, também no mesmo estilo, com quatro casas. O conjunto foi construído pelo avô do Cristovinho (Cristóvão Vieira Alves Neto, estimado amigo já falecido, competente na arte de fazer os complicados balões charuto), que morava com seus pais e uma irmã — Norma, que morreu muito moça —, na segunda casa da vila. Na primeira casa, morava um casal de violinistas da orquestra do Theatro Municipal. D. Branca, muito branca, cuja casa dava lado para os fundos da nossa, casada com um negro, incomum na época, dava aulas de violino para meu irmão. Papai tinha suas fumaças de violinista e até dizia que tocou em bando rival ao do Noel Rosa, o Prima-e-Bordão, e incentivava Siéberth a maltratar o instrumento. Tomava aulas regulares com a vizinha e talvez sua ida para o Colégio Naval tenha interrompido o sacrifício, senão antes.

Na última casa, morava um casal com os filhos Donaldo e Priscila, que regulavam com minha irmã Denise. Com a mudança do casal de violinistas, a casa veio a ser habitada por um casal com dois filhos endiabrados e mais o avô deles, já caquético. Não é que a diferença do velho era o galo que morava com eles e no qual descarregava sua raiva senil, agarrando-o pelo pescoço e vociferando contra o Ranieri Mazzili: "Vou te matar Mazilli, confessa Mazilli". E perseguia o galo pelo quintalzinho. O porquê do ódio contra o Mazilli minha irmã não soube me dizer quando me contou o drama do galo. Embora ainda morando com meus pais, já estava virado pro mundo.

Na casa igual à nossa (antes habitada pelo dr. Cícero, comissário de polícia) veio morar o casal Alcides e d. Nancy e mais o filho Antonio Carlos. Alcides era contador, mas também mexia com imóveis e logo alterou a fachada da casa, pondo-a diferente da nossa, ganhando aspecto próprio e nos libertando da parecença.

Nossa casa construída em centro de terreno, como a valorizava meu pai, tinha uma sala, sala de visitas, como o comum da época, três quartos, copa e cozinha. De frente para a casa, à direita, o terreno maior permitiria, mais tarde, a construção de uma entrada para automóvel e uma casinha que serviria como quarto de empregada e de guardados. Antes, uma pequena reforma, retirando a parede que as separava, juntou a cozinha à copa, onde fazíamos as refeições e, à noite, dormia a empregada. Nos fundos da casa, um pequeno telheiro, varal para secar roupa e o banheiro de empregada, além da caixa d'água que abrigava uma família de pombos e, por isso, desde então, associei o arrulhar deles à existência do precioso líquido, vasqueiro naqueles tempos do Rio. A sala de visitas se transformava no quarto aonde meu irmão e eu dormíamos e que dava para a frente da rua com minúsculas janelas que, mesmo abertas, sequer minoravam as noites tórridas de verão sem qualquer aragem. A impressão que eu tinha era a de que o morro de pedra do pico do Papagaio guardava o calor durante o dia e se vingava à noite, despejando-o contra nós. Tivó, sempre Tivó, nos abanava até conciliarmos o sono, que nunca demorava, corpos meninos e extenuados de corridas e molecagens. Pelo muro lateral da casa, eu alcançava o telhado e, mesmo com a sensação de que podia cair a qualquer momento, jamais me furtava da peraltice. Chegava a sonhar que um copo caia do telhado e eu após ele. Mas qual! Outro dia e nova tentação do telhado. Teimava em enfrentar o perigo. Teimei a vida toda. O terreno oposto era bem menor e nele nós fazíamos barracas com cobertores velhos e nos transformávamos nos mocinhos que víamos no seriado do "poeira" do bairro. Lutávamos contra índios imaginários no Grand Canyon, em pradarias trocávamos tiros com bandidos e corríamos para lavar as mãos para o jantar ao chamado imperativo de Mamãe: meninos, está na mesa!

Ah! Mamãe: eu sou o menino que já fui.

(Fragmento do livro *Sou louco por ti, Grajaú*, em paciente elaboração)

> *Marcello, pelas sete horas,*
> *do amanhecer centenário,*
> *os pássaros da floresta*
> *vão cantar o dom perfeito*
> *da estrela que ela plantou*
> *no fundo azul do teu peito.*
>
> (Thiago de Mello)

A Estrela

Se é pra dizer adeus...

Saía da rua Gurupi, ganhava a praça Malvino Reis, a rua José do Patrocínio, a Barão e chegava ao morro com minha pipa.

O vento do cume do Morro dos Macacos, sem postes de iluminação e traiçoeiros fios, era ideal para empinar papagaios. Mas havia a turma da rua Acaú, rua que começa na Barão do Bom Retiro e sobe até a fímbria do Morro dos Macacos. Turma da pesada, mas havia que manter a paz.

Foi em sonho que ali soltei minha pipa ao vento morno da manhã do iniciozinho de outubro. Estava em Grajaú ou em Macondo? Minha pipa ganhou o céu e lá se foi ao encontro de Gagárin, em uma nuvem abençoada. Por que tanto e tanto subiria minha nuvem levando minha pipa e por que teimava em permanecer nos céus? Todas as pipas já estavam recolhidas ou perdidas, cortadas pela gilete da rabiola inimiga ou do cerol traiçoeiro.

Teimava, parecia sonho, que buscava uma estrela justo no céu das estrelas. Estrelas coloridas, todas dispostas no céu, como a esperar minha pipa. Moviam-se em singular disputa para receber o privilégio de acolher a pipa que o menino de Grajaú dava linha e mais linha, muita linha capaz de alcançar o céu. As estrelas ajudavam e desenrolavam o carretel que não se acabava, ou, se acabava, era logo reposto por outro carretel com linhas coloridas, azuis, amarelas, lilás, cor-de-rosa: rosa a cor dela. E dava linha. E as estrelas pediam a pipa. Que a escolhia, morena linda e meiga como a vida a fez. Até que pousou resplandecente e virou Estrela. Eternamente.

Mas acordei. Era Mamãe que chamava: levanta, menino, já é 1º de outubro!

(1º de outubro de 2012. Lido na missa que celebra o centenário de nascimento da professora Marília de Moura Diniz Cerqueira, na Igreja do Perpétuo Socorro, em Grajaú)

Jasmim

Olho as flores
exalam perfumes,
que mais que sinto:
adivinho.
Flores de Grajaú.
damas da noite
também jasmim.
Associadas às noites de meu bairro.
Mamãe delas gostava e as plantava.
Meu Pai.

CAPÍTULO 2

Anseios da juventude não se desvanecem

Raízes
Outono na Serra
A missa e a namorada
Le Petit Paris
Dolce & Gabbana
Pesquei a Lua
A conquista do céu
Caixinha de Música
Plenamente
Nho-tô-tico
O tamanco

O Colégio Nova Friburgo tinha o objetivo de "formar uma elite brasileira", como havia destacado o presidente da FGV, Luiz Simões Lopes, no discurso de inauguração, em março de 1950. Um colégio interno para adolescentes, resultado de um convênio entre a Prefeitura de Nova Friburgo e a Fundação Getúlio Vargas, planejado para ser um modelo de excelência, com práticas pedagógicas inovadoras.

Os avançados métodos da escola, o ótimo nível das aulas, os bons professores e as normas disciplinares conviviam com as brincadeiras e gozações próprias de irrequietos garotos recém-chegados à adolescência, as variadas atividades extracurriculares que preenchiam o tempo dos internos e os diversos esportes, principalmente as partidas de futebol, em que o rapaz do Grajaú não fazia feio.

Marcello guarda boas recordações daqueles momentos em Friburgo. A arquitetura do colégio, uma construção normanda, rodeada por montanhas. O clima agradável. Os beliches dos quartos com cheiro de mobília nova. Dividiu o alojamento com Carlos Eduardo Dolabella, mais tarde ator famoso, e com Marcio Braga, que viria a ser presidente do Flamengo. Aos domingos, ele e seus colegas iam para o centro de Friburgo admirar as meninas que passeavam pelas praças e alamedas. Nas férias e nos feriados prolongados, voltava em casa para matar a saudade dos pais, irmãos e amigos do bairro.

O trajeto para a cidade serrana era uma aventura que o encantava. No Grajaú, ele pegava o bonde Uruguai-Engenho Novo para a Praça XV, onde embarcava na Cantareira, que fazia a travessia entre Rio e Niterói. Já no outro lado da Baía de Guanabara, seguia para a estação ferroviária e pegava o trem, que presenteava seus passageiros com bucólicas paisagens de rios, vastos campos e criações de gado. Em Cachoeiras de Macacu, fazia baldeação para um trem maria-fumaça que, engrenado a uma cremalheira, subia o trecho mais inclinado até a estação de Nova Friburgo, de onde um ônibus do colégio, tipo "lotação", levava até o destino final, como ele conta em "Outono na Serra".

O Colégio fechou as portas em 1977. Desde 1954, ex-alunos vinham promovendo encontros no próprio local ou em restaurantes de Friburgo e do Rio, mas somente a partir de um encontro promovido, em 1985, por Carlos Eduardo Dolabella, Marcio Braga e Marcello Cerqueira, começou a ser organizada uma associação, criada oficialmente em 1986. Em anúncio nos jornais, os três procuravam e convidavam os colegas por seus apelidos dos tempos de ginásio, como Pica-pau, Toffe-Toffe, Dromedário, Bananeira, Topete, Treme-Treme, Macacão, Minhoca, Rataruga, Cascadura, Crioulo, 109, Docinho (Belas Coxas), Jumentinho, Girafa, Batatinha, Vaca, Brechó, Pechincha, Gambá, Banana, Chimbica, Pintinho, Abacate, Barata, Dondoca, Ramsés II, Feijãozinho, Malandro, Escoteiro e Pigmeu. E Marcello também tinha apelido? "Por pretensioso que eu era", lembra ele, que tinha fama de sabe-tudo, "tentaram me apelidar de Máscara de Ferro, personagem de *Os Três Mosqueteiros*, de Alexandre Dumas, mas não pegou, porque eu não liguei." Mais de uma centena de ex-alunos e alguns professores participaram do encontro, na Churrascaria Majórica, em Nova Friburgo. Durante muitos anos, como ativo membro da associação de ex-alunos do colégio, Marcello participou do desfile de Sete de Setembro naquela cidade.

No hino, sempre lembrado pelos colegas quando se encontram, décadas depois, o ufanismo presente no projeto da escola ecoa agora como saudosismo bem-humorado: "A Pátria, a escola, o lar, a fé, padrões ungidos / todos unidos / engrandecemos / do estudo um campo de batalha nós faremos / para aprender / e triunfar / nossa vida é uma esperança que sorri / sob este céu / de intensa luz. / As alturas nos convidam a subir / e conquistar / nosso porvir. / Avante, pois, / avante, companheiros, / para alcançar / valores verdadeiros."

O tom do hino era outro no Instituto Laffayette, escola tradicional na Tijuca, onde Marcello fez o curso clássico: "Povos ativos do planeta / todos deveis dar-vos as mãos / quebrada a última grilheta, / povos da Terra, sois irmãos. / Em cada terra, uma bandeira, / em cada povo, um ideal, / mas o ideal da Terra inteira / é uma bandeira universal." Os rapazes estudavam em um prédio imponente na Rua Haddock Lobo e tudo faziam para se aproximar das alunas do mesmo colégio, que estudavam em outro prédio, na Conde de Bonfim. Mas a mensagem do hino ("todos deveis dar-vos as mãos") não valia para as brigas com os alunos do Colégio Militar e do Pedro II, eternos rivais.

Estudar no Laffayette dava mais tempo às vivências adolescentes nas ruas do Grajaú e Andaraí. Primeiro, os "namoros de mãos dadas e beijos furtivos", como ele contou em "Sou louco por ti, Grajaú". Depois, as paixões "descabeladas" e os blocos de sujos no Carnaval, com chupeta e mamadeira de cachaça. Nas pracinhas e calçadas arborizadas onde o menino corria alegre, o moço agora matutava, colhia flores e plantava amores, conta ele em "Raízes".

Muitos anos depois, casualmente reencontra paixões da mocidade na porta de uma igreja ("A missa e a namorada") ou nas ruas do centro da cidade, mas se perde "no torvelinho do ir-e-vir das gentes apressadas" ("Le Petit Paris"), ou despede-se num rápido adeus ("Dolce & Gabbana") sem dar-se conta de que sequer lembrou-se de anotar o telefone da antiga amiga que lhe diz: "O tempo passa, meu filho..."

(G.B.)

Raízes

Deixo meus pensamentos vagarem por ardentes paixões da mocidade e imagino que esperanças, emoções e mesmo desilusões não se perderam nas ruas do meu bairro. Espero a noite vencer o dia, espero a noite fechada com a mesma confiança com que guardei abrirem-se as manhãs. Sinto que anseios não se desvanecem mantidos nas raízes e nas copas das árvores, oitizeiros e tamarineiras, nos meios-fios, na pracinha com sua fonte seca, nas calçadas por onde, menino, corri alegre e, moço, andei matutando; colhi flores, gerânios e jasmins olorosos, plantei amores quantos, o tanto não sei. Sentimentos não se esvaecem, permanecem como legados espirituais na alma das gentes.
    Oh! Grajaú!

Outono na Serra

Em 1950, ganhei uma bolsa para estudar no Ginásio Nova Friburgo, promessa da Fundação Getúlio Vargas de revolucionar o ensino de então. Tomava-se o trem em Niterói e baldeava-se em Cachoeiras de Macacu para o comboio mudar de bitola e uma cremalheira fazer o Maria Fumaça chegar à estação, não sem muitas fagulhas no guarda-pó que mal nos protegia.

Moda de época, o "lotação" do Colégio nos levava ao cume de um morrote, antigo Hotel Cascatinha, projetado para o jogo de roleta, logo proibido pela esposa do autoritário general Dutra e, afinal, destinado ao Colégio.

Desde então, um sentimento muito meu me liga à cidade. Agora, desfruto de um acolhedor chalé no parque São Clemente, e, invariavelmente, bato ponto, aos sábados, no Bar América.

Vejo que estamos a menos de 8 graus. Uma lua se insinua entre as árvores e prenuncia uma manhã de sol neste outono friburguense. Será o outono a mais linda estação?

Não sei. Tenho em mim a Primavera eterna. E isso me basta.

(Nova Friburgo, maio de 2013)

A missa e a namorada

Só volto ao bairro de minha infância e juventude e do meu coração para missas de 7º dia, pois assim é a vida, naturalmente. Outro dia, cheguei atrasado, por trânsito, a uma dessas missas. Na porta da Igreja N. S. do Perpétuo Socorro, na praça onde brinquei menino, estava uma antiga namorada de juventude, certamente esperando alguém; a missa já ia pelo meio (missas e enterros rezam-se e saem na hora). Fiz uma graça:
— Me espera há muito tempo?
E, ela, serena:
— Cinquenta anos.

(27.5.11)

Le Petit Paris

Pensei que iria perder o fôlego quando a vi. Escapava pela Gonçalves Dias. Teria saído da Colombo?

A mesma Colombo em que muitos anos antes, com Mario Alencar e ela, almoçara. Apesar de mais velho, Mario e eu éramos colegas na Faculdade de Direito e ele sabia da história. Mario sabia da vida, sabia de tudo. E Mario já atravessou o Rio, deixando muitas saudades.

Na praia de Icaraí, quase colado ao cinema, habitava um pequeno bar, o Le Petit Paris, onde batíamos ponto logo depois das aulas e tomávamos quantidades industriais de Pernod com soda, ou água tônica, como lembra, hoje, Eliane, em Niterói.

Quantas vidas vivem dentro de mim!

Já os anos cobravam suas contas e mesmo no instante fugaz em que a vi, reparei nas marcas, tênues embora, que lhe sulcavam a face, mas a não enfeavam, como se o tempo marcasse com linhas suaves a beleza do seu rosto.

Pensei em correr, chamar por ela, dar a volta na rua Sete de Setembro e surpreendê-la, com um ramo de flores, passaria pelo Mercado das Flores, volteando e esbarrando com ela.

Poderia perguntar fingindo surpresa:

— Você por aqui?

E colher resposta:

— Pois é...

E como explicar o ramo de flores?

— Você leva estas flores para quem? — Ela poderia perguntar.

Estaria frito. Responder como?

Melhor seria não comprar as flores. Surpreendê-la, apenas.

E foi o que fiz. Tão célere quanto as pernas me permitiam. E tão leve quanto a esperança de revê-la. Aumentei o passo, corri mesmo. Dei a volta já ofegante.

Mas a perdi no torvelinho do ir-e-vir das gentes apressadas, correndo do almoço, correndo a almoçar, correndo.

Nunca mais a vi.

(Abril de 2013)

Dolce & Gabbana

Veio-me em um tailleur elegantíssimo, com bolsa de marca e ares de executiva da área de petróleo com interesses diversificados, pré-sal, Emirados Árabes. Andava eu meio pervagante pela rua Primeiro de Março, pensando no Júri cuja sessão iria se reiniciar.

E nos deparamos.

Desfez-se em sorrisos. Fazia por volta de três vidas que não nos encontrávamos. Beijos e abraços e me disse ser engenheira e que acompanhava minha carreira, votara em mim, sabia da minha advocacia.

Sabia pelos jornais e por uns quantos, poucos e sobrantes amigos comuns.

— Importante, hein?

— Qual, um pobre advogado.

Mostrava-se linda e sedutora e, no café, em pé, soube-a casada, separada, casada de novo, com filhos e já esperando um neto a chegar.

— O tempo passa, meu filho...

— Pra você não passa.

— Passa sim, meu filho, infelizmente passa.

Não passava, pois, eu ainda a via com olhos de menino. A saia rodada e armada com três anáguas, algo impeditivo para um sôfrego aconchego, mas que, afinal, se contornava, pois infinita é a imaginação dos jovens quando amam.

Morava pelos altos da rua Araxá, em uma encantadora travessa recheada de casas amáveis, pedaço bucólico do meu bairro e propício à contemplação de estrelas, ao enleio, ao amor e a outras práticas subversivas. Tão meiga e terna e compreensiva com meus súbitos sumiços, pois a política estudantil atraía e tomava tempo, além das duas faculdades que mal cursava e um emprego como repórter de polícia com plantão noturno na delegacia da rua Hilário de Gouveia. Deus meu! Quantas lembranças não me vieram de repente, como se a implacável roda da vida tivesse interrompida sua andadura fatal. Fui devolvido à minha juventude e mal ouvia sua tagarelice sobre o trabalho, o trabalhão com os filhos.

Beijou-me, deu-me um adeus apressado, pois tinha um encontro importante, e sumiu pela rua da Assembleia em uma aura de perfume francês.

Dei-me conta de que sequer trocamos telefones.

Também, para quê?

(Outono de 2011)

Pesquei a lua

Pesquei
na poça
da rua
a lua
boiando livre.
Livre
do céu
que é prisão
da lua.
De promessa
Tua
Boiando livre
Aparição
Livre e nua.

A conquista do céu

Quando o homem pisou na lua,
Eu estava no céu.
Com ela.

(1969)

Caixinha de música

Simples, mas com bailarina,
que aparecia quando a caixinha
se abria
em sons um poucos roucos
por velhos de tanto tocar.
Que lembrava realejo
e pracinhas de infância.
Como eram grandes as pracinhas,
como passa rápido a infância.
Caixinha de sonhos
que guardam lembranças
e sonhos.
Talvez desilusões,
que desaparecem
quando a caixinha se abre,
com música e bailarina.
E ficam
as lembranças,
a pracinha.
E a saudade dela.

Mas a caixinha fechou
e com ela
a bailarina e a música,
a desilusão e o sonho.
E até a saudade dela.

Plenamente

Porque assim a vejo,
branca, nua e louca
É que só assim sabe
que a vida é pouca.

Que o amor desafia a hora
o tempo, a mora, a demora.
A vida lá fora
não conta o passar do tempo
áspero e cruel,
banal e torto
irremediável tormento.

Que o tempo é agora
sem demora e sem mora
não conta as horas,
minutos não leva em conta.

Só valeu o instante
em que a vi e a vivi,
branca, nua e louca.
Plenamente.

No azul do céu.

Nho-tô-tico

É uma historieta de Grajaú dos anos 1960. O personagem é Luís, já falecido. Alcoólatra, abandonou o curso de medicina pelo meio e arranjou-se na Fiocruz, onde era tolerado, já que trabalhar mesmo não trabalhava. Passava as tardes em um bar no início da Engenheiro Richard, onde hoje se localiza o Enchendo Linguiça, que faz sucesso — e justificadamente, é dizer.

Bebia "samba em Berlim", mistura de cachaça com Coca-Cola, que substituía o cuba-libre então na moda, aquele mais barato e de porre garantido, além das prometidas ressacas para quem ainda tinha fígado, o que não seria bem o caso do nosso herói. Deu-se que em determinada festa junina (pois o Grajaú Tênis Clube fazia festa para tudo, inclusive festas para festa), apareceu no clube meio fantasiado de caipira, ainda (creiam!) sóbrio, com um chapéu de palha com a aba escrita em carvão "Nho-tô-tico", que virou seu apelido, apelido que ele incorporou e, assim, de então em diante, se apresentava, meio gaiato: Nho-tô-tico, muito prazer.

Pois bem. Certo dia, aparece no clube — depois dir-se-ia "pintou no pedaço" — uma morena, mas uma morena, meus caros, de tirar o fôlego. Dizia-se, então, mulher para mais de quatrocentos talheres. Descrevê-la, quem há de?

Alta, fornida de corpo, modelada em saia justa, negra cabeleira caindo em cachos nos ombros perfeitos. Pernas que se adivinhavam no recorte da saia. E seios? Seios, tinha-os altos, apontando para o céu, um céu que o zelador deixara a porta aberta, porta pela qual ela escapuliu para descer à terra e atormentar os homens.

E não é que a Deusa, com olhar de ternura, cocava justamente o Nho-tô-tico? Baixo, mirradinho, feio, maltratado, tresandando álcool. E à turma, vencida, só restou animar o herói. "Vai fundo, cara, vai fundo." Parecia que ele indo, fundo já se vê, desagravava a todos que não mereceram sequer um olhar da Deusa.

Nho-tô-tico quedou-se pensativo, a mão no queixo como o "O Pensador" de Rodin. Respirou fundo, mais fundo, e declarou:

— Vai dar não, gente: não tenho pau pra tanta mulher!

O Tamanco

Lá pelos anos 1960, em Grajaú, vivia uma alma formidável. Chamava-se Oswaldo e, por ser português (embora sem sotaque), ganhara o apelido de Tamanco, e como tal era conhecido e dele não desdenhava. Figura boêmia, alegre, cantante pessoa, alcoólatra comportado (sim, existem), amigo de todos e sensacional companhia para noitadas. Um jovem (também já falecido, mas prematuramente) chamado Manoelzinho, filho de portugueses, iria completar 18 anos e Tamanco resolveu dirigir-lhe missiva alusiva e festiva, além de indicativa da responsabilidade de alcançar a maioridade. Entretanto, não queria que o jovem identificasse o remetente e por isso escreveu à máquina o texto, mas assinou: "do anônimo Oswaldo Motta."

CAPÍTULO 3

Histórias de um jovem militante

Pierrô e Colombina
A tarefa

O final da década de 1950 marcou um grande fortalecimento do debate político no meio estudantil, secundarista e universitário. Depois de participar ativamente da campanha "O petróleo é nosso", que levantou o país e culminou, em 1954, com o surgimento da Petrobras, a Juventude Comunista, criada nos anos 1920 pelo Partido Comunista Brasileiro (PCB), integrou a chapa que reconquistou para a esquerda, em 1956, a União Nacional dos Estudantes (UNE).

Embora tenha ingressado, em 1959, no curso de Ciências Jurídicas e Sociais na antiga Faculdade de Direito de Niterói, Marcello não pensava em ser advogado, mas sim jornalista. Começou no movimento estudantil trabalhando na imprensa universitária, já como militante do PCB, convidado por Paulo Alberto Monteiro de Barros para trabalhar no jornal *O Metropolitano*, órgão da União Metropolitana de Estudantes. Paulo Alberto sabia que, desde 1956, ele dava aulas de Português no Curso Alfa de admissão, dirigido por sua mãe, a professora Marilia Cerqueira.

Passou a frequentar a gráfica do jornal e gostava de conversar com os linotipistas e revisores, que consultavam dicionários e liam Lênin. Além de receber com entusiasmo essas influências, familiarizou-se com o ambiente da redação e passou a fazer reportagens policiais para *O Metropolitano*, que circulava aos domingos, como encarte no jornal *Diário de Notícias*. Essa atividade lhe daria experiência para exercer dois ofícios, alguns anos mais tarde: advogado criminal (como defensor de presos políticos) e escritor (seu romance *Almoço de ganso*, por exemplo, é ambientado no submundo da polícia e do crime no Rio de Janeiro da década de 1960).

Além de se firmar como repórter no jornal, ele trabalhou na Editora Universitária, criada por Aldo Arantes e dirigida por Cacá

Diegues — logo depois por Herbert José de Souza, o Betinho. A Editora publicava a revista *Movimento*, de enorme importância cultural à época, dirigida por César Guimarães, Arnaldo Jabor e, depois, pelo próprio Marcello.

Foi uma fase muito rica vivida por essa geração, conta ele. A redação de *O Metropolitano* reunia "a cozinha do movimento cultural que iria agitar aqueles anos".[1]

1 Cerqueira, 1994b, p. 5.

Na sequência da nova imprensa estudantil, surgiram o cinema novo e o teatro popular, "núcleos de um pensamento revolucionário que se consolidaria na UNE e no seu Centro Popular de Cultura (CPC)", diz ele, lembrando nomes como Oduvaldo Vianna Filho, Glauber Rocha, Anecy Rocha, Armando Costa, Leon Hirszman, Cacá Diegues, César Guimarães, Arnaldo Jabor, Davi Neves, Joaquim Pedro, Eduardo Coutinho, Miguel Borges, Marcos Farias, Helena Solber, Aloisio Leite, Rogério Duarte, Carlos Estevão, Luís Werneck Vianna, Ferreira Gullar, Tereza Aragão, João das Neves e Augusto Boal, entre outros.

O que até então estava sendo, para Marcello, uma empolgante atividade cultural, viria a se transformar em sólida militância política, quando ele foi eleito vice-presidente de Assuntos Nacionais da UNE, na chapa encabeçada por José Serra como presidente (gestão 1963-1964), uma composição política entre o PCB e a Ação Popular.

2 Cerqueira, 1994b, p. 6.

"A UNE tinha enorme influência política no contexto da época, influência que jamais recuperaria mesmo depois do restabelecimento pleno das liberdades democráticas", comenta Marcello.[2] O movimento estudantil ocorria em clima de liberdade, apesar de alguns incidentes, como o cerco da sede da UNE na Praia do Flamengo, promovido em 1962 pelo governador Carlos Lacerda, mas suspenso depois de entendimentos entre o governador e o comando do I Exército, que cumpria ordens do presidente Goulart, com base em um argumento do ministro da Justiça, João Mangabeira: o prédio carioca da UNE é um "próprio federal", um bem incorporado ao patrimônio da União desde o primeiro governo Vargas, quando foi tomado de um clube alemão na campanha estudantil contra o Eixo.

As articulações políticas da UNE intensificavam-se cada vez mais, abrangendo outros setores além do movimento estudantil. Em 1961, após a renúncia de Jânio Quadros, a entidade participou ativamente da Campanha da Legalidade, liderada pelo então governador gaúcho Leonel Brizola, organizando uma greve de repúdio à tentativa golpista que pretendia impedir a posse de João Goulart na Presidência da República. Garantida a posse de Jango e a volta do presidencialismo, formou-se uma Frente Operária-Estudantil-Camponesa, que estava sendo ampliada para receber uma grande Frente Parlamentar Nacionalista (FPN).

Em 1962, a maior parte das universidades do país aderiu a uma greve geral pela reforma universitária, e o prédio do Ministério da Educação e Cultura, no Rio de Janeiro, foi ocupado por manifestantes do movimento estudantil durante três dias. Por outro lado, grupos de direita se articulavam em conspirações contra o governo de Jango, alguns já partindo para ações concretas e violentas: integrantes do Movimento Anticomunista (MAC) metralharam a sede da UNE, no Rio de Janeiro. O mesmo prédio que, logo após o golpe militar de 1º de abril de 1964, seria invadido e incendiado por tropas militares.

(G.B.)

Pierrô e Colombina

Em um daqueles carnavais, então no Jardim do Méier, conheci uma formosa foliã vestida de Colombina.

Airosa em um corpete de veludo azul celeste e saia plissada com apliques de estrelas, curta o suficiente para mostrar, generosas, as coxas bem torneadas. Portava na mão direita um lança-perfume e na esquerda (ou vice-versa) uma máscara sustentada por fina haste, máscara que, por vezes e fugazmente, ocultava seus olhos, o que me levaria a uma dúvida cruel, mas que só mais tarde se manifestaria.

Sabe-se, com Santo Agostinho, que a dúvida é a pior das angústias.

De mim, pode-se dizer que mal simulava um Pierrô mambembe, com uma espécie de camisolão com pompons azuis, figurando enormes botões, uma meia azul como um capacete e a cara pintada com uma lágrima impressa, lágrima falsa que desafiava a natureza das lágrimas, as que rolam no rosto, sinceramente ou não.

Encantei-me com ela e fui correspondido, pois imperscrutáveis são os caprichos da vida. (Sem atentar que amor de carnaval é fantasia e termina como a rosa murcha um dia, letra besta de uma marchinha que depois para ela compus, inutilmente.)

E brincamos a bom brincar pela tarde e, já à noitinha, ela desapareceu, perdida em um cordão que nos vinha em sentido oposto. Pelejei para encontrá-la. Corri pra lá, corri pra cá. Pierrô mequetrefe e ridículo, afobado, barata tonta a dar encontrões nos foliões na busca aflita no início e quase desesperada ao constatar que irremediavelmente perdera a Colombina.

Àquela altura, tirava um tempo como repórter setorista no *Diário de Notícias*, jornal que na edição de domingo abrigava o tabloide do O *Metropolitano*, dirigido então pelo saudoso amigo Paulo Alberto Monteiro de Barros, depois senador Artur da Távola, e que contava em seu corpo redacional com Cacá Diegues, Arnaldo Jabor (que outro dia em sua coluna em O *Globo* referiu, muito saudosamente, ao Nelson, também redator, sem dizer-lhe o sobrenome, que sabemos ser o Pompéia), Rogério Belda — estudante de engenharia, que se notabilizava como humorista e com grandes e inesquecíveis tiradas — Glauber Rocha, Leon Hirszman, Paulo Cesar Saraceni, Joaquim Pedro de Andrade, Miguel Borges, Davi Neves (com Cacá e Jabor, o núcleo fundador do Cinema Novo), Cesar Guimarães, Carlos Kalu, Silvio Diniz Gomes de Almeida, Helena Solberg, Ana Maria Moskvitch, Sonia Bryner, Cosme Alves Neto e Carlos Estevam (cujo ensaio "Por uma arte popular revolucionária" criaria um cisma na "intelligentzia" jovem quando publicado como encarte na revista *Movimento*, da UNE, em 1962, dirigida por Cesar Guimarães, que contava como redatores Arnaldo Jabor e Marcello Cerqueira, depois diretor da revista), além do orador que vos fala, entre outros não menos importantes e que irão me desculpar pela omissão. Os fotógrafos eram o Fernando Duarte (creio ter sido o fotógrafo do filme do Cacá *A grande cidade*, de 1966), Affonso Beato (que alcançou reconhecimento internacional após fazer a fotografia de O *Dragão da Maldade contra o Santo Guerreiro*, de Glauber Rocha, e hoje é disputado diretor de fotografia no estrangeiro) e Mario Rocha (já falecido, grande praça), que formou a ambos.

Andei me perdendo e já volto ao que relatava, mas não sem antes registrar que a experiência como setorista de polícia na delegacia da rua Hilário de Gouveia me permitiu escrever duas novelas: *Almoço de ganso* (1985), pela Civilização Brasileira, com apresentação do saudoso editor Ênio Silveira; e *Beco das Garrafas — uma lembrança* (1994), pela Revan, com apresentação do editor Renato Guimarães.

Já de volta, agora sim, urdi um plano para desentocar a Colombina e consegui com o editor da geral uma nota carnavalesca (de alguém) afirmando que na terça-feira gorda um Pierrô perdera uma Colombina no Jardim do Méier. A descrição de minha singular pessoa foi-me fácil; já a descrição da Colombina esbarrou na cor dos seus olhos, cor que me deslumbrara e que a máscara não escondia. Seriam azuis? Azul violeta? Não, eram verdes, seguramente verdes. (Andava lendo sofregamente a García Lorca — "irmão, assassinado em Granada" — "Verde que te quero verde. Verde vento. Verdes ramas..."). Não eram verdes, portanto. Eram castanhos. Sim, castanhos. Mas não, castanhos não eram. É que este vivente estava possuído pela magia da cantora Amália Rodrigues que, fazia pouco, ouvira no Municipal e a suave música ficara rodando na minha cabeça: "Teus olhos castanhos de encantos tamanhos são pecados meus..."

Sem pôr-me de acordo com a cor dos olhos — imprescindível para o desate da questão — preferi colocar, na pormenorizada descrição que fazia, singelamente, "olhos luminosos".

Pronto, estava feito o retrato de corpo inteiro. E não poderia ter erro. Terça-feira gorda, Jardim do Méier, o tosco Pierrô perfeitamente retratado, assim a bela Colombina.

O editor fechou a nota de "procura-se" com a solicitação do envio da ansiosamente esperada e esclarecedora carta para a redação do jornal.

Que recebeu 23 respostas.

A tarefa

Recebo o recado no jornal que então trabalhava na página policial. Era setorista. Cobria a delegacia da rua Hilário de Gouveia, em Copacabana. Plantão noturno. Era divertido, até. As casas noturnas, inferninhos, *night clubs*, restaurantes da área, vez por outra convidavam os repórteres para os shows, para uns drinques ou mesmo para jantar. Assim, fui apresentado à noite de Copacabana, com seus encantos, mistérios e mazelas. A edificação selvagem do bairro gerou a construção de apartamentos minúsculos em prédios enormes, permitindo que famílias modestas neles se comprimissem ou abrigassem moças solteiras e rapazes idem. Calamitosa ocupação urbana que engendrou uma forma peculiar de sentimento expressa no gênero musical batizado de *fossa*. Foi também o tempo em que surgiu uma incrível harmonia rítmica que afastou o samba de sua origem, mas o aproximou do mundo: a *bossa nova*. Meio samba-canção, meio jazz, eu já ouvira, fazia mais de ano, os tais acordes dissonantes no violão de um fotógrafo do jornal O *Metropolitano*. Mas como enfrentar o consenso que nascera em Copacabana, mais precisamente no Beco das Garrafas, a bossa nova? Seus autores já consagrados. Compositores, instrumentistas, cantoras e cantores. Como sustentar a precedência para o Mario, um modesto repórter fotográfico? De jeito nenhum. Poderia ser coincidência, não descoberta. Os artistas cavando de um lado e o fotógrafo de outro teriam chegado à mesma harmonia. Quem sabe? Entretanto, importava menos a primazia dos sons dissonantes do que viver intensamente o que a noite oferecia.

Em troca da *boca-livre*, nada de notícias desabonadoras sobre as casas noturnas. Brigas, confusões, fofocas envolvendo *gente de bem*, essas coisas. Um cronista da época, um tipo muito gaiato, escreveu que a prática devia se intitular "picadinho relations". Estava certo. Fora um acontecimento raro — homicídio, por exemplo, ou mesmo um roubo significativo —, as casas noturnas não figuravam na página policial, habitavam colunas sociais detestadas pelos repórteres e endeusadas por seus fruidores.

Estava no jornal espremendo os miolos para escrever minha matéria, pois a noite fora fraca e sem qualquer acontecimento de monta. Briga de casal, uma bicha que levou umas porradas numa esquina não sabia de quem ou não queria dizer, duas batidas de automóvel sem vítimas e os loucos de sempre, os que frequentam delegacias à noite inventando casos, delatando vizinhos, enchendo o saco da tiragem.

O companheiro me avisa:

— O *assistente* tem precisão de falar contigo.

— Quando e onde? — pergunto.

— Hoje à tarde, na sede.

— Da Álvaro Alvim?

— Da Álvaro Alvim — confirma ele.

A *tarefa* era de amargar. A *direção* queria que eu fizesse vestibular para uma das Faculdades da Universidade Federal, em Niterói. Havia três contatos: dois na Faculdade de Direito, um que viera de Campos e outro, mais velho, que era genro de um companheiro que fora de III Internacional com Dimitrov, além de uma moça na Faculdade de Economia. Eu deveria procurá-los, organizar a *base* e fazer o trabalho do Partido. Também me dariam os nomes de três moças da ala progressista da

Juventude Universitária Católica, todas da Escola de Serviço Social; deveria procurá-las e ampliar o trabalho de *frente*. Estava bem arranjado. Cursando a Faculdade de Letras da Universidade do Distrito Federal e trabalhando de repórter no *Diário de Notícias*, além de colaborar com O *Metropolitano*, jornal da União Metropolitana dos Estudantes, como iria sobrar tempo para cursar mais uma Faculdade e ainda fazer trabalho de *organização* para o qual não levava jeito? Enfrentar as morosas barcas da antiga Cantareira! 'Tava' bem arranjado. 'Inda' mais justo no momento em que quatro amigos de Grajaú, três e mais eu, alugáramos um conjugado mobiliado na esquina da rua Miguel Lemos com a avenida Atlântica com vista definitiva para o mar e a promessa de noites e fins de semana memoráveis. Os turnos prontos, inclusive com a previsão da ausência periódica de um dos sócios, tenente da Aeronáutica, seguidamente obrigado a voar por esses brasis afora.

Não, companheiro, sinto muito. Pra mim não dá pé.

— Bom, companheiro, recebi a *tarefa* de te dar a *tarefa*. Já me desincumbi da minha parte. Agora, é contigo.

Acabei indo. O que parecia um sacrifício, logo se transformou numa prazerosa *tarefa*. Passei razoavelmente bem no vestibular para o curso de História e logo me vi envolvido na discussão da chapa para compor o Diretório Acadêmico. Os colegas mais antigos davam-se ares superiores, ofereciam lugares na diretoria para os calouros. Com a experiência do mesmo ritual na Faculdade de Letras, sabia que os calouros, sempre a turma maior, além de mais interessada com a novidade, podiam decidir a eleição. As turmas mais adiantadas iam minguando com o passar dos anos e o interesse também se diluía com o tempo, quer porque no último ano entravam na vida bruta procurando emprego nas escolas ou buscando aulas particulares; quer porque se desinteressavam, mesmo.

Tomei a iniciativa de reunir a calourada e selar a unidade da turma. Isso posto, reivindicamos dois lugares na chapa:

a secretaria geral e a primeira vice-presidência. As duas chapas não se diferenciavam politicamente. A questão ideológica ainda não estava no centro da eleição do Diretório. Assim, a negociação dependia do atendimento de nossas reivindicações. Uma das chapas não apenas aceitou de pronto como ainda nos ofereceu uma diretoria cultural. Os colegas me indicaram secretário geral e ganhamos a eleição.

O *dirigente* ficou satisfeito com o relatório. O lugar iria facilitar a *tarefa*.

— E os outros companheiros?

— Andei muito ocupado com a eleição, agora, vou procurá-los — respondi.

— Pois vá. Eles estão esperando. Vai haver eleição no Centro Acadêmico da Faculdade de Direito e quem sabe você não pode dar uma ajuda?

— Vou ver.

Afinal, reuni-me com os companheiros. Éramos quatro. Já identificava uns três *simpatizantes* na minha turma e os companheiros também já haviam ampliado suas ações. A surpresa ficou por conta do encontro com as meninas da Juventude Universitária Católica (JUC), facilitado pelo padre Chico que as assistia, ele mesmo ligado a um movimento rebelde que nascia no interior da JUC, um pouco como resposta ao cardeal do Rio de Janeiro que dela expulsara o presidente do Diretório Acadêmico da Faculdade de Direito da PUC, acusado por ele de radical e amigo dos comunistas. Pecados mortais, já se vê. O movimento embrionário chamava-se Ação Popular e não discriminava politicamente os comunistas, embora deixasse clara a diferença ideológica, fosso que a conjuntura política permitia transpor. Convinha-nos. Companheiros de viagem era um velho bordão que vivíamos a repetir.

Tão envolvido fiquei com a nova *tarefa* que decidi trancar matrícula na Faculdade de Letras cujo *secretário*, também membro do Partido, procurou dissuadir-me.

— Deixa disso, rapaz. Você está no final do curso. Vai ser a primeira turma da nova Universidade do Estado da Guanabara. A formatura será histórica.

Tentei argumentar com a nova *tarefa*, com o navegar vagaroso das barcas da antiga Cantareira, com meus trabalhos nos jornais. [Omiti o apartamento novo, as delícias das noites de Copacabana, especialmente o súbito e eterno interesse numa morenona que fazia "ponto" no Little Club, uma das boates do Beco. Fazer "ponto" não colocava as mulheres à disposição dos homens. A obrigação limitava-se a fazer companhia aos fregueses, especialmente empresários paulistas que aqui aportavam em busca de benefícios federais. Com eles, entreter educada conversação, fazer-se de simpáticas, até confidentes, ouvindo suas vitórias nos negócios e suas amarguras no casamento. Podiam até engrenar um "programa", mas só se quisessem. Ganhavam comissão na despesa do cliente, às vezes, reforçada pelo chá que tomavam no lugar do uísque cujo valor recebiam integralmente. O primeiro drinque era sempre o scotch. Depois, noite a dentro, a música rolando, o freguês já mais animado, chamando urubu de meu louro, o uísque era substituído pelo chá na cumplicidade com o garçom esperto que sabia o tempo exato de promover a troca.]

— Nada disso, ninguém é reprovado no último ano, especialmente por falta. Sabe do que mais? Aquela sua monografia sobre o *Grande sertão: veredas*, em que você procura demonstrar a inviabilidade da condição feminina da principal personagem, é um achado. Foi muito bem recebida a suspeita de que o autor procurou esconder a relação homossexual no bando como uma solução, por assim dizer, política para seu romance. Você sabia que aquele filólogo que é diplomata pediu cópia do trabalho para melhor apreciação?

Não, não sabia. Nem podia imaginar a repercussão do trabalho despretensioso, embora inusitada apreciação de uma vertente da grande obra e que me custara horas de sofrimento debruçado nas páginas brancas que desafiavam as letras da velha máquina de escrever. E, depois de pronto e revisto, cada linha um novo sofrimento de recriação, corta aqui, acrescenta ali, e afinal a dúvida sobre a oportunidade da monografia. Valeria a pena levantar uma questão tão delicada? As relações homossexuais permaneciam intangíveis tabus em nossa tacanha sociedade.

— Tem problema não. Você fica.

Fiquei. Acabei me formando e o diploma mais tarde seria de enorme valia para mim. E também uma impugnação. É que, ao disputar a presidência da UNE, a direita argumentou que eu já era formado, embora matriculado regularmente em outra Faculdade. Argumento besta. Eu satisfazia a condição de candidato: era estudante e ainda não cursava o último ano. Pretexto que a Comissão Eleitoral afastou de pronto.

(Do texto "Combatendo nas trevas — III".
Fragmento do livro *Combatendo nas trevas,* inédito)

CAPÍTULO 4

O golpe militar de 1964

Combatendo nas trevas I e II
Antígona e os limites do poder civil
A verdade do direito de memória
O Poder Moderador
Os caminhos e o sopro
Ainda os caminhos
Almoço com Waldir Pires
O agente internacional
Contraordem
Auroras de outrora
A rosa e a ferradura
Circo
Anistia: quando a liberdade abriu asas

"Eu não vou terminar este mandato, não". Essa frase de João Goulart, em um domingo de outubro de 1963, num apartamento de parentes no Leblon, surpreendeu o presidente da UNE, José Serra, que conversava com ele sobre a posição da entidade na chamada crise do Estado de Sítio. Jango havia encaminhado ao Congresso Nacional um pedido de autorização para instaurar o Estado de Sítio no país, por trinta dias, para "debelar o foco insurrecional que o governador Lacerda incendiava desde a Guanabara". A UNE era contra, por entender que a supressão das garantias constitucionais fortaleceria a direita, voltando-se contra o povo e aprofundando ainda mais o processo de radicalização política em curso no país. Goulart disse a Serra que a medida não tinha como objetivo cercear os movimentos populares e incentivou a UNE a se posicionar publicamente contra, mas adiantou, pedindo sigilo, que já havia tomado providências para retirá-la e que anunciaria sua decisão dois dias depois. "O Estado de Sítio não era para agredir vocês, não era contra o povo, não. Ao contrário. Eu sei das dificuldades que tenho", disse Jango.

Poucos dias antes, Marcello Cerqueira e Duarte Pereira representavam a UNE em uma reunião da Frente de Mobilização Popular (FMP) — organização informal que reunia a UNE, o Comitê Geral dos Trabalhadores (CGT), o Pacto de Unidade e Ação (PUA, representando principalmente setores portuários), deputados da Frente Parlamentar Nacionalista, políticos e intelectuais. Estava presente o então governador do Rio Grande do Sul, Leonel Brizola, que defendia enfaticamente o Estado de Sítio. Na sequência, os representantes do CGT e do PUA, além de diversos parlamentares, também se manifestaram a favor da medida. Pela UNE, Duarte Pereira argumentou que o Estado de Sítio poderia talvez alcançar o Lacerda em um primeiro momento, mas não tardaria a atingir as entidades de representação popular, o governo de Arraes e, depois, o próprio Jango.

"Os que tiveram o privilégio de conviver com o Duarte conheceram seu talento e a contundência de sua oratória baiana", lembra Marcello, em *Recado ao tempo*.[3] José Serra estava em Salvador para a comemoração dos dez anos da Petrobras e Duarte Pereira assumia interinamente a presidência da UNE.

Após a fala de Pereira, Marcello levantou-se e deu por encerrada a presença da UNE na reunião. Como vice-presidente de Assuntos Nacionais, ele era o representante da entidade na FMP. A posição firme da UNE, selando a divisão da FMP, embora isolada num primeiro momento, fez com que vários outros setores recuassem, o que sepultou a tentativa de implantar o Estado de Sítio, que apenas antecipariaa o golpe militar. Marcello faz questão de lembrar esse episódio, porque muitas entidades e partidos políticos reivindicam hoje a paternidade da condenação àquela proposta, que foi retirada por Jango, diante da pressão dos movimentos sociais.

Ele descreve o presidente João Goulart como um homem calmo, atencioso e que costumava não olhar diretamente para o interlocutor. "Jango nos deixava à vontade e nos ouvia demoradamente", lembra Marcello. Gostava de perguntar, por exemplo, aos estudantes: "Quem vocês escolheriam para ministro da Educação?"

"Eu não posso ser a esquerda do meu governo", disse Jango, certa vez, destacando a importância da atuação da UNE. "A campanha contra vocês da UNE é tremenda", comentou ele em um de seus frequentes encontros com os representantes da entidade, afirmando sua disposição de garantir as liberdades democráticas.[4]

[3] Cerqueira, 2004-2005, p. 164.

[4] Cerqueira, 2004-2005, p. 164.

❈

A bucólica praça Nobel, em Grajaú, foi o local do encontro marcado por Marcello e Vianinha (Oduvaldo Vianna Filho), na manhã de 31 de março de 1964.

Na manhã do golpe, Marcello havia antecipadamente marcado encontro com Vianinha. Quem conta a passagem é Dênis de Moraes, no livro *Vianinha, cúmplice da Paixão*:[5]

5 Moraes, 1991, pp. 127-128.

Marcello tinha ido com José Serra à casa do deputado Tenório Cavalcanti, em Duque de Caxias, na Baixada Fluminense. Em meio às notícias de que as tropas dos generais Olímpio Mourão Filho e Carlos Luís Guedes marchavam de Minas para o Rio, temia-se que os dois dirigentes estudantis fossem presos a qualquer momento. Por segurança, tomaram caminhos diferentes — enquanto Marcello seguiu para o Grajaú, Serra voltou de ônibus para a Zona Sul — e marcaram encontro à tarde, próximo ao Bob's de Ipanema.

Conversando sobre a situação do país naquele dia especialmente tenso, Vianinha e Marcello caminharam até a casa de Jacob Kligerman, perto dali. Estudante de Medicina e simpatizante do PCB, ele se prontificou a esconder o presidente e o vice-presidente da UNE em um pequeno apartamento na Lapa.

No velho Volvo de Kligerman, foram buscar Serra, sob chuva fina, em clima de apreensão e tristeza. Havia alguma chance de reviravolta no Rio Grande do Sul? Como poderiam resistir no Rio? Não seria melhor fazer contatos para se exilar? "Eu me lembrava daquela música da Maísa, 'Meu mundo caiu'", conta Marcello. "Era assim que nos sentíamos. Não que o golpe tivesse nos surpreendido, mas só quando vem o desenlace é que termina o sofrimento".

Vianinha e Cerqueira entreolharam-se apreensivos quando o motor do Volvo começou a resfolegar, na subida do Rio Comprido em direção à rua Alice para chegar a Laranjeiras — trajeto escolhido por Kligerman para evitar o centro da cidade, pois ainda não existia o Túnel Rebouças.

"Era só o que faltava", dizia Vianinha, suando frio. "Não deixe o carro morrer", insistia Marcello, enquanto Kligerman apertava o acelerador até o fundo. Havia soldados por toda parte, mas o Volvo conseguiu chegar a Ipanema, apanharam Serra e seguiram para a Lapa. Vianinha saltou no caminho: passaria na UNE, para ver como estavam as coisas, sem saber que perderia de vista os dois amigos por um bom tempo.

No mesmo dia, Marcello Cerqueira e José Serra estiveram com o brigadeiro Francisco Teixeira, comandante da 3ª Zona Aérea (Rio de Janeiro) e testemunharam a confusão instaurada entre os militares que ainda apoiavam Jango. O brigadeiro estava preparado para desbaratar as tropas do General Mourão Filho, desde que "recebesse ordens diretas do presidente".

Essa mesma resposta, que ele disse pessoalmente aos dois dirigentes da UNE, foi falada ao telefone para Giocondo Dias, o segundo nome na hierarquia do Partido Comunista Brasileiro. Teixeira era membro da sessão militar do PCB, naturalmente cercada de todo sigilo e que até hoje guarda seus mistérios. A executiva do Comitê Central do PC deliberou no dia 31 de março que Giocondo Dias transmitiria ao brigadeiro a orientação de atacar com seus caças os militares insurretos.

José Serra conta[6] que estava com Cerqueira na 3ª Zona Aérea quando o coronel Dagoberto Rodrigues, diretor do Departamento de Correios e Telégrafos, disse ter interceptado uma ligação do general Cunha Mello, informando que precisava de combustível. Cunha Mello comandava as forças que deveriam barrar as tropas que vinham de Juiz de Fora. "O coronel começava a limpar suas gavetas quando o Marcello achou que os tanques que protegiam o prédio começaram a virar seus canhões para o prédio. E estavam!", lembra Serra, que saiu com Marcello por uma porta lateral, para falar com o brigadeiro Teixeira, que estava na base aérea do Santos Dumont. "Por que o senhor não manda seus aviões dispersarem as tropas que vêm de Minas?", insistiu Serra. "Olhe, bastaria um só avião para dar conta disso. Mas a ordem do presidente que eu recebi foi que mantivesse os aviões no chão", respondeu o brigadeiro. "É possível que um avião nos leve a Porto Alegre?", pediu o presidente da UNE, ouvindo um "não" como resposta: "Sem ordens superiores não posso autorizar", disse Teixeira, preservando a disciplina militar.

Com sua sede no Rio de Janeiro invadida e incendiada no dia 1º de abril, a UNE passou a atuar na clandestinidade. Depois de uma semana escondidos na garçonnière de Jacob Kligerman, Serra e

[6] Cerqueira, 2004-2005, pp. 165-166.

Cerqueira conseguiram asilo junto à Embaixada da Bolívia, através de gestões do ex-presidente Juscelino Kubitschek.

❋

Depois dos anos de exílio (contados no Capítulo 5 deste livro), ele veria novamente a repressão recrudescer, com o AI-5, em dezembro de 1968. Avisado por um primo, que o hospedou por uns tempos até que a onda passasse, acabou sendo acordado em casa, cinco meses depois, "por um amável cano de metralhadora". Entre outros presos, ele recorda no texto "Ainda os caminhos" o encontro com Darcy Ribeiro, que então escrevia à mão o livro *Maíra*. "Estou solto!", exclamou alegremente o antropólogo, ao ver seu advogado. "Lamento desiludi-lo", respondeu Marcello, "eu é que estou preso, Darcy". E no texto "Anistia: quando a liberdade abriu asas", ele descreve os bastidores de uma luta intensa no Congresso em 1979, como capítulo decisivo de uma luta contra o regime militar que se inscreve "entre as mais belas jornadas democráticas da nossa história".

(G.B.)

✸

> *Ah, quanto descrevê-la é empresa dura*
> *esta selva selvagem, acre e forte*
> *e que pavor o pensamento apura.*
>
> (*Inferno*, Dante Alighieri)

Combatendo nas trevas I e II

Acordei-me com um estrondo: era a polícia que arrombava a porta do quarto da pensão em que me hospedava na Glória. Na clandestinidade, a gente sempre pensa como se dará a prisão, se vier. Os relatos em livros de antigas repressões. A experiência de outros companheiros transmitida oralmente e destinada a nos preparar para a eventualidade da prisão. Qual eventualidade... Do jeito que o Partido vinha caindo era quase inevitável contar com ela. Mas será que estaríamos mesmo preparados? Não sei. Só sei que fui pensar nisso mais tarde já no corredor escuro que me levaria à cela. Na hora, não esbocei qualquer reação. E nem poderia, tal o susto. E nem consegui apoderar-me da cápsula que estava bem à mão, no criado-mudo ao lado da cama. Também, com aquela desproporção de forças. Pelo menos seis agentes fortemente armados entraram no quarto. Brutalmente, me algemaram e me encapuzaram. Fui levado como estava: de camiseta e bermuda. Num roldão descemos as escadas e me jogaram no chão do banco de trás de uma viatura, sim, viatura, pois carro de polícia é sempre uma viatura. E lá fui sacolejando. Um dos agentes com o pé na minha cara.

A cela era baixa. Impossível ficar em pé. Deitado, sentado, ajoelhado, de cócoras. Em pé, não. Foi então que percebi que é da condição humana ficar em pé, ereto. Sem jamais ter sido impedido de ficar em pé, não poderia supor a importância de tal privação. Um policial com voz roufenha me ofereceu café.

— Tome o café, daqui a pouco você vai depor. Não deve ser nada. Esclarece. Você sai.

Agradeci e tomei o café. Acomodei-me como pude e cochilei um pouco para logo despertar com dores na barriga. Precisava urgentemente ir ao banheiro. Bati na porta da cela. Gritei que estava passando mal, que precisava ir ao banheiro. E a mesma voz já menos amigável falou:

— Faz aí mesmo.

E ria-se. Então percebi que ele pusera alguma droga no café. Em um canto da cela, aliviei-me. Limpei-me com a cueca. Fui para o outro lado da cela, mas passei a conviver com meus excrementos. Sem poder ficar de pé e sem poder me lavar. E o fedor. Devia ter amanhecido, pois o calor ia ficando cada vez mais forte. O calor e o fedor, e eu sentado.

Ouço passos, movimento no corredor e vozes.

— Pega o cara, rápido.

A porta se abriu e eu saí para, em seguida, ser algemado. Prenderam-me os pulsos atrás das costas. Encapuzado e algemado nas costas, fui tropegamente na direção que me puxavam. Mas já de pé. Era alguma coisa. Recuperara pelo menos a dignidade da postura. O mesmo corredor, o mesmo elevador e no chão da viatura, novamente. Só que essa era maior que a outra. Imaginei-me num camburão. Para onde me levariam? Tinha certeza que estava no DOPS. Quartel tem corneta. Tocam corneta. Por isso e por aquilo, tocam corneta. Pior foi que, se me tiraram da polícia, era para me entregar ao

Exército. Certamente, iria para o DOI-CODI na rua Barão de Mesquita. Só de pensar, sentia um frio correr-me a espinha. E o medo vinha me habitar. A viatura parou. Ruído de um portão se abrindo e, novamente, a viatura avançou, em seguida, parou novamente. Sou puxado. Uma porta se abre e outra, depois outra. Ainda mais uma. Sentam-me em uma cadeira.

— Fala logo, cara. Dá o serviço. Melhor pra você. Vai falar de qualquer maneira.

Falar o quê? Mal pergunto e uma bofetada me atira no chão.

— Senta. Deixa de ser besta. Me dá seu próximo *ponto*, anda porra.

Que ponto? E nova porrada.

— O ponto, porra, e o *aparelho*, porra.

— Não sei do que o senhor está falando.

Não veio a porrada que esperava. Em vez disso, pegaram minha mão direita, senti que colocavam fios no dedo mínimo e no artelho. Já sabia o que me esperava. O corpo sacudiu violentamente com a descarga elétrica da *maricota*. Eu tinha que *cobrir um ponto* logo pela manhã. Numa esquina do Méier e meia hora depois, por precaução, em outra esquina do mesmo bairro, se não fizesse contato no primeiro ponto. O companheiro a essa altura saberia que eu tinha *caído* e já estaria tomando as providências de praxe. Era só eu aguentar 24 horas e ninguém *cairia*.

— Não vai ganhar tempo comigo, filho-da-puta. O último que tentou *fazer cera* acabou *cantando*. Resistiu até demais. Só falou depois de ser empalado. É o que tu tá querendo, filho-da-puta?

Jogaram sobre mim um balde de água. "É água para aumentar a intensidade dos choques", pensei. Era. O corpo sacudido violentamente pelo choque. Lembro-me de um *aparelho* há pouco desativado no Lins de Vasconcelos. *Entrego* o *aparelho*. A tortura parou. Foram conferir. Falam em voz baixa longe de mim. Imaginei uma sala bem grande. Ruído de porta se abrindo e fechando. Continuei na cadeira. Fiquei numa espécie de modorra preparando-me para nova sessão de tortura. Ao constatarem que o *aparelho* já fora desativado viriam em cima de mim com maior fúria. Mas, então, eu conseguira uma preciosa hora.

E foi na maior fúria que os torturadores voltaram. De saída, me aplicaram um *telefone* que me deixa inteiramente zonzo. Mal escuto as ordens.

— Animal, filho-da-puta. Se me enganar mais uma vez corto teus colhões, ouviu?

Novamente tocaram a *maricota*. E tocaram. Caí. Levantam-me e amarram-me as pernas na cadeira. Mais choques. Comecei a desfalecer. Tenho a sensação que entrei em um túnel e que vou despencando. O torturador enfiou um revolver dentro do capuz.

— Viu, filho-da-puta? Agora, vou fazer *roleta russa* contigo. Não é comunista, guerrilheiro, então, sabe o que é *roleta russa*: ou não sabe?

Sabia. Senti o cano encostado na têmpora. O gatilho acionado. A mão armando o gatilho e o ruído seco do cão ferindo o tambor vazio. E novamente o tambor sendo rodado.

— Vamos ver se agora tu tens sorte, filho-da-puta!

O suor escorreu-me pelo rosto; o capuz quase nele se grudou. Outra vez, a mão armou o gatilho e disparou no seco: ainda aquela vez não encontrou bala no cilindro. Assaltou-me a ideia de que poderia estar no tambor a bala que me libertaria. Do sofrimento, da humilhação, da incerteza. Não sei o que me reservaria o dia seguinte, a hora seguinte, o minuto que viria. Não sei se resistiria e acabaria entregando alguém. Não tinha medo, nem coragem. Não tinha nada. Saiu a provocação:

— Por que não fazem ao contrário, colocam todas as balas menos uma?

Um violento soco atrás da orelha foi a resposta. Caí no chão com a cadeira. A boca foi ferida de encontro ao assoalho, senti que um dente foi quebrado, o gosto de sangue me invadiu a boca e me sufocou. Tentei virar-me. E logo recebi pontapés. No peito, na cara. Atingiram-me o olho e o supercílio esquerdo. O sangue já não é só da boca. Empapou o capuz e escorreu-me pelo peito. Não tinha sequer como proteger o rosto. O castigo foi longo. Novo chute me derrubou no chão com cadeira e tudo. Já não tinha mais por onde me ferir. O corpo doía-me todo. A cabeça parecia não mais pertencer ao meu corpo cujas partes não sentia. Senão a dor. Intensa. Tomou-me a cabeça, o corpo todo. Percebi que se conseguisse concentrar a dor em uma parte do corpo poderia talvez enfrentá-la melhor. Percebo que a boca se enche novamente de sangue. Consegui cuspir pedaços de dente que se aderiram ao capuz.

Desfaleci. Fui reanimado com o líquido de um vidrinho que me deram para cheirar e, nesse quase levantar de capuz, vislumbrei uma jaqueta branca, calças brancas, sapatos brancos. "É o médico", pensei. Tomou-me a pressão. Mal e mal ouvi o que ele murmurou para o torturador; algo como "vai com calma". O torturador se encarregou de confirmar o que seria o "diagnóstico".

— Com calma, mais calma. Com calma ele ganha as 24 horas e os filhos-da-puta desativam os contatos dele. Não dá pra esperar. Ou fala ou morre.

Já não sei se o torturador queria me assustar mais ainda ou se cumpriria a sua rotina. O frio tomou-me a boca do estômago. O frio percorreu-me a espinha. A boca ainda não parou de sangrar, mas o sangramento era pouco e deixava um gosto ruim na boca. Não aceitaram a provocação. Não queriam me matar. Não queriam me matar, por enquanto.

Reuni forças e falei para eles;

— Olha, eu quase não tenho mais contatos. Tinha um pela manhã. Eram dois pontos alternados. No Méier. O companheiro a essa altura já fez o que tinha de fazer. Vocês sabem que estamos *caindo* todos. Estamos desarticulados. Quase que só sobrevivendo.

— E o filho-da-puta ainda quer engambelar a gente. Seu contato precisa de 24 horas para desativar seu grupo. Ou você pensa que a gente não sabe, pensa?

— Não, não penso. O trato é esse, mesmo. Resistir 24 horas e depois *abrir*.

— Pois é, e a fotografia que você tinha no quarto, no forro do paletó? Nós revistamos tudo minuciosamente e achamos. Você vai ter que entregar o Velho, cara.

— Não sei, não sei onde está o Velho, podem acreditar.

E o desespero tomou conta de mim. Realmente eu não sabia aonde se escondia o Velho.

— E a foto, porra, pra que é a foto, não é foto de passaporte?

Confirmei.

— Mas eu a recebi para entregar no ponto da manhã, só isso.

— Pra quem, pra quem?

— Para o companheiro que viria cobrir o ponto.

— E quem é o companheiro, porra?

— Não sei, só sabia do ponto e da *tarefa* de passar a foto, ele é que se encarregaria de *tirar* o passaporte.

O torturador devia estar sentado em uma mesa, pois a sola do sapato alcançou-me o rosto. Caí com a cadeira. E, logo, um banho parcialmente me reanima para logo sofrer a mais longa sessão de choques. Era impossível eles acreditarem, mas eu não tinha mais nada para contar. Desfaleci, novamente.

Aos poucos, fui me reanimando e me habituando à claridade. Já não estava encapuzado, nem algemado. Reparei que os ferimentos foram limpos e tratados. Alguém se aproximou de mim. Ofereceu-me um copo d'água, que bebi avidamente. E outro, depois outro. A voz é mansa.

— Como se sente?.
— Como se um caminhão tivesse passado por cima de mim — respondo.
Ruído de passos. Mais passos. A sensação de que muitas pessoas entravam na sala ao lado. Distingui vozes, mas não consigui entender o que dizem. Pareceram-me agitados. Uma voz se sobrepunha às outras.
—Vamos entrar — comanda.
Graves, taciturnos, encolerizados uns, a sala se encheu de oficiais fardados. "Deus meu", pensei, "que diabos está acontecendo?" A voz de comando é incisiva:
— Já sabemos de tudo, Professor. O senhor é a ligação entre o Velho e o General. Vai nos contar tudo. Revelar o dia, o local e a hora do encontro.
Fiquei aturdido. O coração parecia querer sair pela boca. A cabeça rodava. Os pensamentos fervilhavam. Impossível. Aquele que parecia ser o chefe comandou, novamente.
— Olha, Professor, sua Madrinha nos contou, já sabemos de tudo. De tudo. Ou quase tudo. O que não sabemos o senhor vai nos dizer direitinho.
Nem senti ameaça na voz de comando, apenas a certeza de que eu teria que revelar.
— Os senhores torturaram a Madrinha?
Foi o que achei de perguntar. A voz veio carregada de desprezo.
— Pergunta idiota. Por certo que não! — exclamou. — Temos outros meios.
— Que meios?
— É idiota, mesmo.
Quem falou foi outra voz, mais áspera, era um dos encolerizados. Procurei colocar os pensamentos em ordem. Além do General e do Velho, só a Madrinha e o contato do Velho, que agia muito recuado e seguramente não havia *caído*. Nem o Velho. O General teria *aberto*? Claro que não. Ele seria o primeiro a preservar o segredo. Uma suspeita clareou os

pensamentos que cruzavam loucamente minha cabeça. Sentia febre. "Só pode ser", pensei. "O SNI *grampeou* o General e registrara a conversa dele com a Madrinha e a Madrinha falando comigo na Igreja Nossa Senhora do Perpétuo Socorro, na pracinha, em Grajaú". Devia ser.

A voz de comando esclareceu.

— Sua prisão foi um erro. Foi outra turma que o prendeu a partir da *queda* de um elemento ligado à sua organização ou ao que resta dela. O senhor era nosso *alvo*. Deveria ser preservado e seguido até *entregar* o encontro do General com o Velho para permitir o flagrante, objetivo da missão. Nosso pessoal cochilou e não deu tempo de evitar a prisão. Quem estava na sua *campana* não sabia da finalidade da vigia. Julgou que os acontecimentos teriam se precipitado e sua prisão fora ordenada. Apenas ao ler o relatório do *Serviço* é que me dei conta de sua prisão. Agora, vamos ter de recuperar a operação. Com a sua ajuda, naturalmente. O senhor terá de cooperar.

— Cooperar?

— Perfeitamente, cooperar.

— Mas cooperar, como?

— Simples. O senhor fará um acordo conosco.

— Acordo?

— Perfeitamente, acordo. Ou o senhor pensa que muitos subversivos já não fizeram acordo com a gente.

Sim, eu sabia que muitos capitularam na tortura. Entregaram a organização. Mas a culpa não era deles. Ou eles eram os menos culpados. A responsabilidade era dos torturadores, dos que o prenderam, sequestraram, violaram seus direitos. Mas colaborar? Virar colaboracionista? Isso, não. Jamais.

— Não, Coronel... o senhor é coronel, não é? Não, não posso aceitar.

— Nada disso. Compreendo sua primeira reação. Mas vamos conversar. O senhor vai ver que o diabo não é tão feio quanto o pintam.

E faz um sinal afastando os comparsas, que saíram disciplinadamente. Ficamos os dois: o Coronel e eu.

— Pois é, ficamos a sós, Professor; o senhor e eu. Vamos conversar, Professor.

— Sinto muito, Coronel, mas não temos nada a conversar. Sou seu prisioneiro. Estou em suas mãos. Sei que o senhor pode mandar me torturar mais ainda. Ou mandar me matar. Ou me torturar ou me matar. Mas não pode me transformar num colaboracionista. Absolutamente. Não pode. Não pode.

Sinto que me exalto. Repito ouvindo minha própria voz.

— Não pode — repito. — Não pode!

O Coronel percebeu meu estado de ânimo.

— Calma, Professor. Podemos oferecer-lhe uma vida nova, longe daqui. Pense nisso. Recomeçar sua vida. No estrangeiro. Em Paris, onde o senhor já morou. E com a sua namorada médica...

Gelei. Como é que ele sabia da existência de Ana Luíza? O Coronel entendeu.

— Nós o estávamos seguindo quando o senhor desmaiou em Niterói. Fomos nós que providenciamos sua remoção para o Hospital Antônio Pedro. Foi lá que soubemos de sua relação antiga com a doutora e que não se encontravam há muitos anos. Logramos gravar parte das conversas. Bom, vou providenciar uma refeição leve para o senhor e deixá-lo descansar um pouco. Para pensar. Pense. Pense bem.

II

Caminhava meio a esmo no Fonseca. Fui cobrir um ponto em Niterói e acabei ficando por lá. Eram pontos alternados e incompreensíveis pela distância entre eles: seis da manhã ou seis da noite no mesmo lugar. Achei estranho, mas fui. O primeiro ponto falhou. Pronto, pensei, como é que vou me arranjar até à noite? Voltar para o Rio e depois atravessar novamente? Nem pensar. Mas, como fazer passar o tempo sem me expor? Ou sem me expor demasiadamente? Confiava na barba crescida e no desgaste do tempo, mas desconfiando sempre. Era um dos azares da clandestinidade: desconfiava-se de tudo. Bastava um engarrafamento fora de hora e já vem a ideia de que a polícia realizava uma blitz e que podiam me pegar. Com a mão esquerda, pois sou canhoto, aliso o cabo do .38 e, com a mão direita no bolso da camisa, me asseguro que a cápsula está lá para qualquer emergência. Penso na ação que me imporia numa situação dessas. Atirar e correr? Tentar abrir caminho à bala? Logo eu, que vivia minha contradição pacifista! Fui treinado, era verdade. Era calmo, tinha boa pontaria, passara em todos os testes. O treinamento até que não me pesou muito. Achei-o bom, bem feito. Habituei-me à vida dura do acampamento. Mas não tão dura assim para alguns companheiros. Absolutamente, não procurava recriar a situação que os guerrilheiros enfrentavam nos combates. "Ainda bem", pensei. De natural alegres, os cubanos misturavam o treinamento com brincadeiras. Tocavam violão e cantavam. Alguns de nós também tocávamos e cantávamos. Eu tocava e cantava. Absolutamente, não será o que iremos enfrentar, diziam os mais afoitos. "Ainda bem", continuava pensando. Houve o início de um movimento para oficiar à direção reclamando do treinamento. Precisavam da assinatura de todos. Desmanchei logo a reclamação. Eu não assino. "Por quê, posso saber?", indagou o mais aflito. "Porque não tenho condições de avaliar. Provavelmente estamos em um primeiro estágio. De adaptação." Imagino que aos poucos irão aumentando as dificuldades e o treinamento apertaria. Era razoável. Tanto assim que decidiram esperar para ver no que dava. Não pude conferir, pois recebi instruções para voltar a Havana. Despedi-me do grupo. Nunca mais vi ninguém daquele grupo nem soube deles. Viajei para Havana. Iria cumprir a *tarefa*, seguir minha sina.

Mas não adiantavam recordações naquela hora. E nem matutar no que fazer no caso da iminência de uma prisão. Já estava cansado de pensar nisso. Formular hipóteses. Uma saída para cada hipótese. Tinha dúvidas se usaria a arma. Mas uma coisa era certa: a repressão não me pegaria vivo. Acariciava a cápsula como quem afagava um salvo-conduto. Decidi ir à praia. Era bem cedo, dava pra caminhar um pouco e, depois, se o sol apertasse tomar um ônibus para Charitas. Isso mesmo, Charitas era o ideal. Nem muito movimentada e nem tanto deserta. Era isso: Charitas. Abalei-me para Charitas. Estava lindo o dia. Já começava a esquentar. Os banhistas chegavam. Um grupo barulhento estendia toalhas na areia, armava barracas, os rapazes tiravam isopores do carro, certamente com cerveja gelada. Devia ser boa a vida deles. Sem os azares da sorte. O pessoal os chamava de alienados, que soava como moeda de xingamento. Não compartilhava da restrição. A vida é de cada um. Deixava pra lá. Quando aparecia discussão nesse sentido entre os companheiros não falava nada: entrava mudo e saia calado.

Reconhecia o terreno. Quantos anos fazia que não botava o pé naquela praia? E eu mesmo me respondia: muitos, muitos anos. Teríamos então sido um grupo barulhento e feliz? Será que alguém mais velho não nos invejava como talvez, naquele momento, eu invejava o grupo? Não, não era inveja, pois não me desgostava a felicidade deles. Ao contrário, ficava um pouco feliz eu também. Quanto mais riam e brincavam mais eu me sentia melhor. Era talvez certa nostalgia. E saudade. Por mais de uma vez com *ela* passeara por essas areias, nadara por esses mares. Melhor afastar esses pensamentos e procurar um lugar para trocar de roupa. O botequim não havia mudado, era o mesmo pé-sujo de outrora. Cumprimentei o dono no balcão, a dona no caixa. Café com leite e pão canoa.

— Quente?

Quente e com pouquíssima manteiga. Veio nos conformes. Saboreei o pão, tomei café com leite.

— Escuta — perguntei pro dono —, dá pra trocar de roupa no banheiro?

Acedeu mostrando a porta. Tirei a roupa e vesti o calção. Coloquei o revólver dentro do sapato e embrulhei-o cuidadosamente na roupa. Enfiei tudo na mochila, o sapato no fundo, o revólver dentro do sapato. Saí com o calção e a camisa. A camisa com a cápsula. E descalço.

— Posso deixar a mochila aqui, moço?

— Pode. Entregue pra patroa que ela guarda pro senhor.

Alcancei a praia. Aproximei-me do grupo.

— Posso deixar a camisa aqui na barraca?

Podia. Ganhei o mar. Com largas braçadas, afastei-me da orla. Fiquei boiando. Novas braçadas afastam-me ainda mais. Chega-me certo cansaço. Também, fora de forma. Melhor voltar. A morena ofereceu a toalha, que aceitei. Agradeci a toalha. "Bom, vou chegando, muito obrigado, bom-dia para todos e bom divertimento." Não se deve ficar muito tempo num mesmo lugar, embora fosse muito pouco provável que alguém da repressão me localizasse por ali. O dono do botequim me apontou uma bica d'água ao lado do prédio. Tirei a areia, lavei-me como pude. À falta de toalha, fiquei corando no sol e logo me sequei. Pego a mochila, senti o volume no fundo. Tudo azul. Vesti-me no banheiro, penteei o cabelo, agradeci ao casal e tomei meu rumo. Que rumo? Não tenho rumo. Não tenho pra onde ir até a hora de novamente cobrir o ponto. Teria rumo na vida? Fazer hora. Tomo, novamente, a direção do Fonseca.

Estava bastante quente, apesar do final do verão. Devia ser três horas da tarde. A cabeça já me vinha incomodando desde o almoço. Também certo enjoo. "Será alguma coisa que comi?", pensei. Não devia ser. Almocei uma pescadinha num boteco limpíssimo. A pescadinha estava deliciosa. Quase a repeti. Caminhava pela sombra quando, de repente, o chão faltou-me aos pés. Dor no braço esquerdo. Delíquio que quase me tomou a vida. Desmaiei para acordar na emergência de um hospital. Aos poucos, voltei-me a consciência. Quando lembrei-me do desmaio, passou, apressada, uma enfermeira. Pergunto a ela por mim. Com a mão fez sinal para que eu esperasse e aponta o médico que vem chegando.

— O senhor teve um mal-estar. Mas já está medicado. O resultado do eletro apresentou algumas alterações. Seu sangue foi colhido e estamos aguardando os resultados. O senhor vai ser transferido para a enfermaria.

Simpático, abanou a cabeça e abalou-se sem me dar tempo de perguntar coisa alguma.

Fui levado de maca até um elevador comprido e de paredes metálicas. Meio lúgubre, achei. Depositam-me numa enfermaria no quarto andar. Deitado, espiei o marcador de andares. Era o quarto andar. A clandestinidade forçada aguçou-me o sentido de observação que sempre tive. Desenvolvi-o nos pormenores. Retinha o rosto dos transeuntes, o traçado das ruas, o prumo das casas, as empenas dos edifícios, as cores, os odores. À noite, deitado, reproduzia de memória o que retivera e sucediam-se rostos, ruas, casas, edifícios, cores e odores. Na clandestinidade o que não faltava era o tempo. Faltava tudo, menos tempo. Que sobrava no dia, um *saco*, chato a mais não poder. Às vezes, andava em direção ao sol; à noite, em direção à lua: como se tivesse como missão encontrá-los. Andava até cansar. Depois, voltava de costas para o sol, de costas para a lua. De costas para a vida? Pesavam-me os olhos. Acomodei-me melhor na cama. "Será que me deram remédio pra dormir?"

Restos de sono são afastados pela visão. Toda de branco, o estetoscópio como um colar ao pescoço, serena, o mesmo sorriso, sorria mais com os olhos do que com a boca. A mão pousada no meu pulso. Ana Luíza!

— Como se sente?

Como me sentia?

— No céu — respondi.
— Que bom.
Puxou uma cadeira branca e metálica. Cuidadosamente, olha em torno. Fala baixo.
— Como você está?
— Estou bem, sabe?, estou bem. Agora, estou melhor, não se preocupe.
— Olha, eu já sabia que você tinha voltado. Mas não sabia como encontrá-lo. Tinha esperança que você me procurasse.
— Não era possível, você sabe.
As regras de segurança não permitiam. Não procurei ninguém. Meus contatos se resumiam aos companheiros. Que eram poucos, muito poucos. Quando estava em São Paulo, antes de voltar, eu ainda circulava mais. Era menos conhecido. A barba e o tempo ajudariam. Frequentava regularmente a biblioteca pública. Às vezes, ia ao cinema. Uma vez, fui ao teatro. Naquela época, nem isso. Raramente um cinema, entrando com a sessão já começada e saindo pouco antes de terminar.
— Você tem escrito?
Tenho. Tenho escrito bastante. Vou escrevendo por capítulos e logo os envio para o editor, em Paris. Você se lembra dele?
— Lembro-me perfeitamente. Não almoçamos juntos uma vez naquele restaurante antigo?
— La Petite Chaise?
— Isso, esse mesmo.
— Não procurei por você porque não podia e nem sabia se você podia, pelo seu lado. Mas vez por outra passeava à noitinha por Gragoatá. Lembrava-me de você, dos nossos amigos, da nossa juventude, do nosso namoro. Sentava naquele mesmo banco e ficava pensando. As lembranças me chegavam com tanta intensidade que eu parecia viver tudo novamente
— Sofria?

— Não, não sofria. Quando as lembranças me tomavam, talvez eu me sentisse como numa espécie de transe, como se a lua pudesse me devolver o passado, os acontecidos. Afastava os maus pensamentos, creio que a memória evitava os momentos ruins. Se as lembranças eram minhas e eram meus os pensamentos, então, por que não selecioná-los? Seria isso? Não, não sofria. Invariavelmente começavam as recordações do porquê vim para Niterói.

Antígona e os limites do poder civil

Etéocles e Polinices, filhos de Édipo, matam-se em duelo pelo governo de Tebas. Creonte assume o trono de Tebas e condena Polinices a não ser enterrado; seu corpo serviria de pasto aos cães e às aves de rapina, como exemplo para os que, no futuro, intentassem contra seu governo. Revolta-se Antígona, sua irmã. Quer enterrar o seu morto porque sem os ritos sagrados a alma do irmão vagaria pelo mundo sem descanso. Desafia Creonte e enterra o irmão com as próprias mãos. A lei dos homens não pode contrariar as leis divinas. Creonte a manda matar. É assim que Sófocles narra a tragédia de Antígona, representada em 422 ou 421 a.C.

O Decreto nº 5.584/05 fixou a data limite de 31 de dezembro de 2005 para abrir os arquivos do regime militar, que se encontravam, como ainda se encontram, guardados em sigilo pela Agência Brasileira de Inteligência (ABIN). Entretanto, a Lei nº 11.111/05 manteve secretos os documentos que ameaçassem "à soberania, à integridade territorial ou às relações exteriores", entre os quais, entre outros, aqueles relacionados à guerrilha do Araguaia. A redação da lei nos remete aos textos, tanto imprecisos quanto autoritários, das diversas leis de segurança do regime militar. De logo, não se entende como a revelação possa atentar contra "a soberania" ou "a integridade nacional". Já no surrado capítulo das "relações exteriores", realmente a abertura dos arquivos vai desvendar ações criminosas conjuntas dos governos militares do Cone Sul, na chamada Operação Condor. Mas não vai surpreender os governos hoje democráticos daqueles países, que já abriram seus arquivos. Inclusive revelando aspectos da "colaboração" do regime militar brasileiro com seus congêneres do Cone Sul. A abertura, aqui, vai preencher lacunas e também servir de alerta de que as relações entre países devem se pautar por valores que respeitem os direitos humanos.

Reportagem do *Fantástico* (13.12.2004) mostrou que documentos dos órgãos de informação do Exército, da Aeronáutica, da Marinha e de outras instituições ligadas à repressão foram incinerados na Base Aérea de Salvador. O programa exibiu 78 fragmentos de fichas, prontuários e relatórios de posse da autoridade Aeronáutica. Os documentos registram "fatos" que vão de 1964, início da ditadura, até 1994, ocasião em que o país já estava redemocratizado. Foi aberto então um "competente" IPM, que nada apurou. Esses acontecimentos (fantásticos) estão a demonstrar que a sociedade não está apenas impedida por "lei" de ter acesso aos arquivos, como ser válido o temor de que outros, ou muitos, já tenham sido incinerados. Ou venham a ser.

É princípio fundamental da República brasileira o respeito (absoluto) "à dignidade da pessoa humana". "A dignidade da pessoa humana, um dos fundamentos do Estado de Direito Democrático, ilumina a interpretação da lei ordinária" (STJ, DJU 26.03.01, p. 473). Nesse sentido, a interpretação da legislação infraconstitucional deve tomar por base esse princípio, iluminar-se nele. Assim, qualquer dispositivo da malsinada Lei nº 11.111/05 que atravanque esse caminho deve ser eliminado por via de arguição de inconstitucionalidade ou mesmo por mandado de segurança, pois legitimados estão os parentes dos desaparecidos.

Nesse quadro, parece contraditória a campanha que o governo federal patrocina de colher elementos sobre mortos e desaparecidos da ditadura. Por um lado, lança uma forte campanha televisiva objetivando depoimentos de pessoas que tenham conhecimento sobre as vítimas; por outro, não abre os arquivos em seu poder sobre as mesmas vítimas. Parece contraditório, mas não é. São ainda os limites do Poder Civil. A ele é permitido avançar até determinado limite. O limite é o confronto com o Poder Militar.

Antigo advogado de presos políticos, sei que não movem sentimentos de revanche nas famílias dos mortos e desaparecidos. E nem pretendem comparar as Forças Armadas de hoje com a pequena parte dela que protagonizou os bárbaros crimes do regime a que serviam. Aqui, apura-se uma talvez verdadeira contradição. Ora, como nenhum chefe militar ou mesmo oficial da ativa das Forças Armadas, além da quase totalidade dos reformados, têm contas a ajustar com a justiça sobre os crimes perpetrados à sombra de uma Instituição permanente e fundamental para o país, por que essa aparente "defesa" de crimes que não cometeram? Sei perguntar. Não sei responder.

Sei, entretanto, como a *Antígona* de Sófocles, que a recusa a abertura pelo governo dos arquivos da ditadura, se antes, na tragédia grega, era um direito divino, hoje é também norma constitucional que deve ser respeitada: a dignidade da pessoa humana, *que não desaparece com a vida*.

Os familiares de mortos e desaparecidos políticos têm o Direito e o Dever de enterrar os seus mortos.

(Artigo publicado na *Folha do IAB*, dezembro de 2009)

A verdade do direito de memória

O *Estado de S. Paulo* publicou no dia 4 de setembro último artigo do estimado senador Jarbas Passarinho sob o título "A memória, a verdade e o destempero", em que contabiliza as vítimas da ação armada de grupos que então se opunham ao regime militar e manifesta sua revolta em face do lançamento, no Palácio do Planalto, do livro *Direito à memória e à verdade*, simples compilação de denúncias de vítimas e parentes das vítimas da repressão e de seus advogados.

Lembra sua atuação em favor da aprovação da Lei de Anistia (Lei 6.683/79) como líder no Senado do governo do general Figueiredo. Vice-líder do MDB na Câmara, concordei com o arenista senador Passarinho, líder do governo, mas objetivando a ampliação da lei com a aprovação da emenda generosa do saudoso deputado Djalma Marinho, derrotada por escassos quatro votos no Congresso Nacional.

Julga o articulista que o livro "coleta dados para denegrir a honra do Exército". Nesse passo (sem querer discutir a expressão preconceituosa *denegrir*), o senador alcança resultado diverso de sua repulsa, já que admite que a instituição Exército e não seus subúrbios repressivos foram responsáveis por prisões, sequestros, torturas, mortes e ocultação de cadáveres de opositores ao regime militar.

As Forças Armadas são instituições nacionais permanentes (CF, art. 142) e por isso não se confundem com atos insanos de militares que desertaram de seus compromissos.

São também organizadas com base na hierarquia e na disciplina, sob a autoridade suprema do presidente da República. Aí sim, em 1964, declinaram de seus compromissos constitucionais e destituíram, pela força, o presidente constitucional do Brasil, golpe articulado com os serviços de inteligência dos Estados Unidos da América do Norte e já em curso, se necessária, a intervenção armada da Frota do Caribe, apoiada pelo porta-aviões da classe Florestal, na operação conhecida como Brother Sam, conforme revelam, hoje, insuspeitos documentos do Departamento de Estado norte-americano.

O recrudescimento do golpe com o AI-5 — carimbado com uma frase do ministro Passarinho que desmerece sua honrada biografia: "*às favas os escrúpulos*" — levou um setor da esquerda à aventura da luta armada, um erro político sem dúvida. Mas ao fechar os canais elementares de participação política, generalizar a violência contra a população, perseguir cruelmente os que a ela se opunham, a ditadura compeliu os vitimizados a adotar uma ação política que, na origem, não cogitavam. A ilegitimidade do regime e sua ação violenta é que geraram uma contraviolência equivocada, mas perfeitamente compreensível. A responsabilidade moral e política pela resistência armada é dos que romperam a legalidade democrática, em 1964, e marcharam, de rota-batida, para a mais terrível repressão de nossa história desde os capitães do mato.

Mais afeito à linguagem castrense do que a forense, engana-se o senador sobre o alcance da expressão "crimes conexos", que acobertariam os torturadores, delinquentes do regime de exceção, supostamente considerados inimputáveis pela Lei de Anistia.

"Crime conexo" ocorre (conexão teleológica) quando o crime é praticado para assegurar a execução de outro, permanecendo ligados pelo liame de causa e efeito, aplicada no caso a regra do concurso material (CP, art. 69, *caput*).

Exemplificando: um militante furta um carro e o entrega a um grupo para praticar assalto a estabelecimento bancário. Todos são presos: o crime do que furtou o carro é *conexo* com o crime dos que assaltaram o banco, mas absolutamente *não* é *conexo* com o crime do agente que os torturou. O que estou a dizer é que do ponto inarredável da doutrina e da lei penal, os torturadores *não* foram *anistiados!*

A lei é um texto promulgado em um contexto. Quando da promulgação da Lei de Anistia, a questão principal era libertar os presos políticos e promover a volta dos desterrados. Não se cogitava buscar interpretação da lei que apenasse os torturadores. Não se cogitou, na Alemanha, fazer Nuremberg com Hitler no poder. É certo que embora o texto permaneça o mesmo, o contexto naturalmente se transforma e o âmbito do legalmente proibido acompanha as mudanças. Daí os processos que no Chile alcançaram Pinochet e outros e na Argentina alcançaram Videla, Massera e outros, por decisão dos Tribunais.

Aqui, o processo foi menos violento se comparado a outros e, aqui, os agentes comprometidos com a tortura e o terrorismo nada sofreram: o oficial comprovadamente responsável pela bomba do Riocentro, por exemplo, foi inocentado por tribunais militares e seguiu sua carreira.

Há de se atentar sobre a diferença abismal entre crimes políticos praticados por pessoas ou grupos políticos e crimes praticados pelo Estado, responsável este pelo processo civilizador.

No caso, o livro *Direito à memória e à verdade*, mera compilação de testemunhos particulares, é apenas um tímido passo no sentido do esclarecimento dos crimes praticados pelos subúrbios do autoritarismo sob responsabilidade do Estado brasileiro.

O que se espera é que o governo abra seus arquivos, até então secretos, para esclarecer os crimes praticados sob o manto do Estado e permita a tantas famílias saber de seus mortos, render-lhes a última homenagem e servir de advertência para que tais atos não venham novamente a manchar nossa já tão sofrida história. É o Brasil o único país do Cone Sul da América que ainda não abriu seus arquivos para a história.

É direito dos vivos saber de seus mortos. É direito do País não querer que tais fatos se repitam.

A abertura dos arquivos não é um ato de revanche, mas de justiça. E o fiador dela será o Exército que libertou os escravos, fundou a República e lutou contra o fascismo na Itália. É o Exército dos homens de bem, de oficiais honrados como o coronel Jarbas Passarinho.

(Artigo publicado no jornal O *Estado de S. Paulo*,
terça-feira, 18 de Setembro de 2007)

O Poder Moderador
À memória de Ciro Kurtz

O comandante do Exército, general Enzo Peri, proibiu os quartéis de colaborar com as investigações sobre as violências praticadas em suas dependências durante o regime militar. A decisão abrange os pedidos feitos pelo "Poder Executivo (federal, estadual e municipal), Ministério Público, Defensoria Pública e missivistas que tenham relação com o período de 1964 a 1985".

Embora a República brasileira deite raízes na Inconfidência Mineira (meados do século XVIII), ela iria ser proclamada por um monarquista chefe de um Exército monarquista. Deodoro imaginava "suceder" a Pedro II e indagava a Rui Barbosa por que não poderia ele dissolver o Congresso, medida que afinal iria concretizar obrigando-se, após o malogro do Golpe, à renúncia e abrindo vaga para a posse do vice Floriano Peixoto. Apertado resumo apenas para concluir que desde então o Exército se outorga o exercício de "Poder Moderador", antes atribuído na Carta Imperial aos imperadores. Daí resulta que o Exército não aceita os limites impostos pelas Constituições democráticas (1934/1964/1988). Entende que coexistem "dois poderes": o Poder Civil que tudo pode desde que respeite o Poder Militar, o outro "Poder". Como são vastíssimos os poderes do Poder Civil (até o de nomear os chefes do Poder Militar), a dicotomia fica encoberta e só vai aparecer claramente quando as Forças Armadas, Exército à frente, afirmam não ter havido desvio de finalidade na repressão cruel que praticaram a partir do Golpe de 1964. Como esclareceu inteligente jornalista, se não houve "desvio" era porque era "norma". Nada de novo na decisão do general Enzo Peri no exercício do Poder Moderador.

(22.08.2014)

Os caminhos e o sopro

À memória do dr. Anísio

O Carnaval do ano da Graça de 1971 foi marcado pela vitória do Salgueiro com o enredo *Festa para um rei negro* do carnavalesco Fernando Pamplona e por um calor do cão.

Vinha eu do Tribunal de Justiça ainda no velho palácio na rua Dom Manuel. Cuidava do adiamento de um Júri particularmente difícil para a defesa. Do Fórum até o escritório, nem uma sombra para aliviar o vivente. Amaldiçoava o costume europeu do terno e da gravata nos trópicos, o sol, e naturalmente juízes e jurados, pessoas ávidas em condenar. Também, acostumavam-se com o promotor do 1º Tribunal do Júri, tipo maneiro que participava de todos os Júris, enquanto o pobre do advogado naturalmente tinha um cliente aqui e outro mais adiante. O promotor fazia-se familiar com os jurados, especialmente as juradas sabidamente de mãos mais pesadas.

Mal chego ao escritório e a secretária já me alcança com os recados e, em especial, de um insistente Jorge Amado.

Os telefones custavam a dar linha. Usávamos um aparelho que acoplado ao telefone avisava a benção de uma linha, afinal. Escritórios mais bem aquinhoados contratavam boys só para ficarem de ouvido nas várias linhas.

E a voz arrastada do baiano me chega logo indagando:
— Você não é amigo do Marques Rebelo?

— Sou, por quê?

— Não sabe que o Hermes e eu lançamos a candidatura do Anísio Teixeira à Academia Brasileira de Letras?

— Não, não tô sabendo.

— Ele não foi seu padrinho de casamento?

— Foi.

— Então?

— Então o quê, Jorge?

— O Rebelo diz que não vota nele, que a Academia é de literatos, veja você!

— Veja você. — Achei de responder.

— Você não é amigo dele?

— Sou sim.

— Então, sua tarefa é ganhar o voto dele (o Jorge pensava que ainda estava no P.).

— Ele quer votar em quem?

— No JG de Araújo Jorge. Você o conhece?

— Conheço mais ou menos lá de Friburgo.

(Silêncio).

— Bom, mas tem impedimento de cumprir a tarefa?

— Não, impedimento nenhum.

De noite, em habitual conversa com Paulo Alberto, genro do dr. Anísio, perguntei se sabia do negócio da Academia. Sabia. Os baianos se movimentavam. De início, dr. Anísio resistira. As visitas de beija-mão, você sabe... Ele se constrange...

Dia seguinte, liguei para o Paulo Silveira (juntamente com o irmão Joel Silveira amalgamavam o personagem José Nicácio, querido do escritor na trilogia do *Espelho partido*).

— O Rebelo é espeto, Marcello. Cisma com uma coisa e já viu. Você marca a visita?

— Marco e te acompanho. Afinal, vocês são torcedores do América e devem se entender.

— Tá nos conformes e fico esperando seu chamado.

Mas só iria me encontrar com o Rebelo no enterro do dr. Anísio.

No final da noite do dia 11 de março, recebo o chamado de um atônito Paulo Alberto. Dr. Anísio sumira. Ninguém tinha notícias dele. Sabia-se que saíra de uma aula na Fundação Getúlio Vargas, no final da tarde, e desaparecera. "Pode estar preso", eu temia.

Pela manhã, despachei *habeas corpus* ao Superior Tribunal Militar (STM). Embora suspenso pelo AI-5, o remédio, quando respondido pela autoridade, fixava sua responsabilidade pela prisão, embora ficasse nisso. E era muito naquelas trevas.

O professor Hermes Lima me aconselhou a falar com o Adonias Filho, figura rara de intelectual de direita, mas pessoa correta e baiano como eles. Antigo integralista, apoiara o golpe e tinha bom relacionamento com os militares.

Recebeu-me bem. Sim, já tinha feito contatos e o "Anísio não estava preso". Certo, mas aonde pode estar? Não tinha resposta. Preso não estava. O general Médici presidia o país e o general Frota a 1ª Região Militar; ambos comandavam a tortura. Em janeiro, havia "desaparecido" Rubens Paiva. E tudo parecia indicar a prisão do dr. Anísio. Ponderava-se que o dr. Anísio não tinha militância política. Não se podia comparar ao Paiva.

[Logo que Rubem Paiva foi preso, Bocayuva Cunha me acionou para agir. Com a informação de que fora preso pela Aeronáutica — só depois soubemos de sua transferência para o DOI-CODI, onde foi barbaramente torturado e depois assassinado —, sugeri entregar a causa ao combativo advogado Lino Machado, antigo oficial da Arma, que se encarregou do caso, hoje de amplo conhecimento público, especialmente após a notável reportagem da Míriam Leitão.]

No dia 14, Mario, também genro do dr. Anísio, foi quem nos deu a informação de que provavelmente o corpo do sogro fora encontrado no poço de um elevador. Fui encontrá-lo desesperado na Delegacia de Botafogo. A pasta que habitualmente dr. Anísio portava estava na mesa do delegado e o corpo já fora removido para o IML.

Com o filho Carlos em Salvador e em face da recusa do Paulo Alberto ("Não, não tenho condições, vai você") e do Mario, fui com José Gomes Talarico ao IML "reconhecer" o corpo. Preciso contar que dr. Anísio, embora reconhecível, estava inchado e apresentava marcas nos braços como se tivesse sofrido agressões. Não, não vou reconhecer — declarei.

Chegou-nos Chico Duarte, professor de anatomopatologia e sobrinho do dr. Anísio. Profissional, mas abalado, constatou a inteireza dos órgãos vitais do tio. E nos mostrava emocionado: "Vejam", e mostrava o órgão, "são de quarenta anos, quarenta anos", repetia como se consolasse. Dr. Anísio, de uma família de longevos, morrera com 70 anos. Procedeu ao reconhecimento do tio.

Vou me poupar de notícias contraditórias sobre a morte. Teria ido visitar o acadêmico Aurélio Buarque de Holanda e, ao verificar que estava no andar errado, distraído que era, teria aberto a porta do elevador do prédio antigo, elevador que lá não se encontrava, e teria se precipitado no fosso do elevador.

A pedido do professor Célio Borja, o delegado de polícia de Botafogo, secretário da Faculdade de Direito, abriu sindicância [fez carranca quando pedi a abertura de inquérito, parecia estar a fazer enorme favor com a mera sindicância], que acompanhei em nome da família tendo como perito particular o engenheiro João (cujo sobrenome não me recordo) e da família do dr. Anísio. Um "corpo" que simulava altura e peso do dr. Anísio foi arremessado do mesmo andar em que ele teria caído. Na queda, o "corpo" veio batendo na estrutura do poço, o que poderia justificar as marcas que, antes, me levaram a negar o reconhecimento do amigo. A sindicância concluiu pela morte acidental e nem João e nem eu assinamos a conclusão.

Não sei se foi a consternação com a morte do grande educador e amigo ou se, mordidos todos pela sordidez de uma ditadura sanguinária, que bem poderia ter assassinado o brasileiro ilustre, fez como que ficássemos em dúvida sobre corroborar com aquilo.

Soube de uma biografia do dr. Anísio feita pelo senador Luis Viana Filho — depois fomos colegas no Congresso Nacional — que sustenta a acidentalidade da morte do conterrâneo, inclusive pela minha presença na sindicância. Não refutei no tempo e nem depois, em conversa com o biógrafo, então na presidência do Senado Federal.

Seu filho Carlos, médico na Bahia, não se conformava com a morte e era natural, não só pelos tempos trevosos em que vivíamos como pela perda inesperada do pai. Leio que seu biógrafo João Augusto de Lima Rocha, professor da Universidade Federal da Bahia, tem elementos que destroem a tese da morte acidental do dr. Anísio e que a Comissão Nacional da Verdade investigou.

Outro dia, lendo o jornal O *Globo*, me deparo com a matéria de página inteira com o título "Manifesto pela Educação completa 80 anos na gaveta — Documento, de 1932, pede escola obrigatória, laica e gratuita, sem discriminação de gênero ou classe". E leio trecho de "O Manifesto dos Pioneiros da Educação Nova (1932)":

"Na hierarquia dos problemas nacionais, nenhum sobreleva em importância e gravidade o da educação. Nem mesmo os de caráter econômico lhe podem disputar a primazia nos planos de reconstrução nacional".

Identifico o texto do dr. Anísio, também escrito por Lourenço Filho, Fernando de Azevedo e por Cecília Meireles, ela integrante do grupo de notáveis, responsável pela leitura do manifesto. O país tanto perdeu por não ter assumido, desde então e desde logo, a responsabilidade pela educação em escola obrigatória, republicana, laica, gratuita e de boa qualidade, investindo nos professores com "remuneração equivalentes que lhes permitam manter, com eficiência no trabalho, a dignidade e o prestígio indispensáveis aos educadores". A matéria, de página inteira, traz a foto cismarenta do Mestre, com a habitual mão no queixo, de quase um quarto de página. Filho da professora e educadora Marília de Moura Diniz Cerqueira, a matéria me trouxe lembranças que desafiam o tempo.

Por volta da década de 1960 (creio que antes do golpe), dr. Anísio voltara de um curso que dera em um universidade americana com contados 30 mil dólares poupados e comprara, em Itaipava, o sítio dos bailarinos Vera Grabinska e Pierre Michailowsky (ele teria sido *partner* da Ana Pavlova), que deram aulas de balé, no Grajaú Tênis Clube, para minha irmã Denise e a encaminharam ao Corpo de Baile do Theatro Municipal.

Pois, foi nesse sítio que, quarenta anos depois, ouvi dr. Anísio falar do "Manifesto" e o quanto lhe doía o desprezo pela educação no país.

[Anos depois e após o golpe, escrevia em uma semiclandestinidade na revista PN e a Editora Gernasa, então, dirigida por Lucio Abreu, que funcionava no mesmo prédio, lançava um livro sobre futebol, que eu organizara e prefaciara com o pseudônimo de Antonio Pedro, e que merecera do dr. Anísio o seguinte comentário, que sirvo aos leitores: "Quem dera que a Educação tivesse tantos bons cronistas quanto o futebol". E note-se que o comentário não diminuía a importância do esporte que ele apreciava, mas lamentava a falta de interesse pela Educação, lamento que desgraçadamente se mantém ao longo dos anos e não se sabe quando terá termo.]

Muitos anos depois, na posse de Dias Gomes, que sucedera a Adonias Filho na Academia Brasileira de Letras, coube-lhe, como nos usos acadêmicos, falar sobre o ilustre morto a quem sucedia. E revelou-nos que no ano de 1971 — ano da morte do dr. Anísio — ao ser mais uma vez intimado a depor no Exército, recebera o telefonema do Adonias oferecendo amizade (amizade que incluía algum tipo de proteção, partindo de quem partiu). Curioso é que Adonias fora recebido na Academia pelo acadêmico Jorge Amado. Mais tarde, JG de Araújo Jorge foi meu colega na Câmara dos Deputados e formava no terço da oposição; assim o estimado Célio Borja, mas pela Arena.

Caminhos que se cruzaram nessa vida incerta e efêmera que é um sopro fugaz, nada mais.

Ainda os caminhos
À memória de Darcy Ribeiro

As nuvens carregadas já anunciavam que a ditadura editaria mais um Ato Institucional (sic), só não se sabia o calibre, mas, do jeito que a banda tocava, seria mais difícil ainda imprimir maior repressão: ledo engano.

Na véspera, um primo próximo foi-me a casa e me resgatou:

— Vim te buscar, vai ficar lá em casa até a onda passar.

O que me livrou da prisão de intelectuais, inclusive advogados famosos.

O final do ano limitou-se a ficar na casa do primo e esperar a "onda" passar, pois lá vinha o Natal, onde os espíritos estão abertos ao amor, à concórdia e a outras práticas subversivas.

No veranico de maio, não escapei à sanha e lá manhãzinha chegou-nos a casa uma patrulha da Marinha e fui despertado por um amável cano de metralhadora. Um fuzileiro informou que um "oficial" me esperava na salinha de entrada e, estremunhado de sono, recebi a ordem de prisão de um jovem e constrangido oficial.

— Temos a "ordem" ou dispensamos a burocracia?

— Tenho sim senhor, e ela vai assinada pelo capitão de mar e guerra João Baptista Torrents Gomes Pereira.

Tomei banho calmamente e acalmei minha mulher, que já devia estar acostumada com minhas prisões.

— Bobagens, daqui a pouco estarei solto.

Vestido de terno e gravata e com a pasta de uso lá fui eu na "viatura" sob os olhares compungidos dos vizinhos do solidário bairro do Grajaú. ("Prenderam novamente o filho de dona Marília".)

No Cenimar, o comandante Bezerra Marinho, colega de turma de meu irmão, e por ele já advertido, me recebeu tão cordialmente quanto uma fera recebe uma presa. Mas, contido, entretanto, pela advertência de meu irmão.

Fui aliviar-me no banheiro e conheci o legendário "Pinote", torturador famoso desde o Estado Novo do primeiro Vargas e, embora suportando anos na cacunda, estava pronto para exercer seu ofício. Trocamos ligeiras palavras, não sei se sobre a urina ou sobre o tempo.

De lá, sou enviado ao temido Presídio Naval nos altos do Arsenal de Marinha. Piedosos pedreiros haviam escavado em rocha um buraco que, fechado por grades, guardavam prisioneiros. Contavam que Tiradentes teria sido preso por lá. (Mais tarde, tal não logrei confirmar, o que daria uma aura de importância àquela prisão de merda.)

Minava água pela pedra que fechava a cela e as camas eram uma espécie de rede própria para abrigar marinheiros e cabos nos porões dos navios, "beliche" que já conhecera quando, muito antes, servira no Centro de Instruções de Oficiais da Reserva da Marinha e tivera a oportunidade de embarcar, em viagem de instrução, no Cruzador Barroso, velho navio da Segunda Guerra Mundial, que devíamos à generosidade da marinha norte-americana pela doação por ela declarada inservível.

Entre os presos, vários amigos como o animado advogado Francisco Lopes e o peripatético Wladimir Palmeira, meu cliente e na mesma situação do patrono.

Acontecimento inusitado me trouxe enorme constrangimento. O comandante do presídio, também colega de meu irmão, foi sensível ao pedido de outro colega, mais tarde meu compadre, e acedeu em permitir que o visse caminhando com minha mulher exatamente quando ("combinadamente") eu passaria sobre uma pinguela que ligava o presídio à câmara do comandante. Vi minha mulher e o amigo fardado que lá em baixo passavam a não poupei o oficial prestante de uma bronca:

— Você pensa o quê? Quer me deixar mal? Não se atreva a me chamar outra vez — disparei ao atônito oficial.

Dias depois, sou chamado com o bordão "Marcello Cerqueira com toda a roupa". E a dúvida: iria ser solto ou cumprir prisão na Ilha das Flores?

Antes, quero registrar um fato inusitado, mesmo para aqueles anos de chumbo. Desamparado, um pobre de Deus não atinava o seu papel naquela cadeia.

— Nada sei de política e nem torço por nenhum time de futebol — defendia-se o pobre.

João de Deus era seu nome, embora de batismo fosse o do comum dos homens, o que favorecera a homonímia que o encarcerara.

Redigimos uma carta coletiva ao comandante e lá pelo meio da madrugada soltaram o homem, que ficou agradecido, guardou meu telefone e depois andou me telefonando. Quando escrevo estas notas vem-me à lembrança a figura meã e aterrorizada, e, mais que aterrorizada, surpresa com os fados que o colheram em situação tão irreal. Chamava-se João e não me perguntem João de Deus de quê, pois lembrar não me lembro.

Nem um e nem outro. Fui transferido para o Batalhão de Comando do Comando-Geral do CFN, onde fiquei no camarote do Imediato, amigo também de meu irmão que o advertira do privilégio desnecessário. Debalde. Ardoroso "revolucionário", o comandante Nascimento, que chegaria a almirante na ativa, ganhando uma estrela que eu contribuíra com meu favorável voto quando deputado federal, anos mais tarde, presidente da Comissão do Congresso Nacional, fizera aprovar, a toque de caixa, mensagem do Executivo conferindo mais uma "estrela" ao Corpo de Fuzileiros Navais, manteve o preso em seu camarote.

Lá já estava preso Darcy Ribeiro, que se alegrou quando viu seu advogado:

— Estou solto.

— Lamento desiludi-lo: eu é que estou preso, Darcy.

Darcy estava escrevendo o romance *Maíra*. Escrevia à mão, em garranchos que só a Berta conseguia decifrar. Meus parcos conhecimentos do xadrez passados a Darcy permitiam partidas bisonhas, que encurtavam o tempo. O passadio no cassino dos oficiais superiores eram bem mais que o passável e os dias transcorriam amenos.

Certa manhã sou informado de que um alvará de soltura me favorecia e enfurecia Darcy, com o palavreado solto e a incontinência da linguagem metralhada tão ao seu gosto:

— Seofilhodaputa, você sai e vai me deixar aqui, seofilhodaputa. — E a saliva escorrendo pela comissura dos lábios.

— Sou superior: meu advogado é o dr. Sobral — e ria de mim mesmo —, arranje um advogado melhor!

Na prisão foi que soube do engajamento do Darcy na questão educacional. Antropólogo já de nomeada, com obras publicadas após dez anos vivendo entre os índios, recebeu convite do dr. Anísio, que lhe reconhecia o gênio:

— Darcy, você não quer cuidar de 99% dos brasileiros?

Sem desdouro, o Mestre — embora reconhecesse a importância do antropólogo — o queria educador de todo o povo.

Mais uma vez acertou o saudoso professor Anísio Teixeira.

Almoço com Waldir Pires

À memória do professor
Santiago Dantas

Quantas lembranças, quanto assunto. Tomaram a tarde inteira e um início de noite. E não se esgotaram.

A conversa vinha andando desde 1963, ele Consultor Geral da República do presidente João Goulart e eu vice-presidente da União Nacional dos Estudantes e dela representante na Frente de Mobilização Popular, que reunia as forças democráticas de então, além da UNE: CGT, FPN, CONTAG (Confederação Nacional dos Trabalhadores na Agricultura), Comando dos Trabalhadores Intelectuais (entre outras).

A divisão no interior das esquerdas levava água ao moinho da direita. Fazer o quê? A luta política se dá no interior das frentes e da frente contra frente, a frente que afinal venceu a frente. Perdeu a democracia.

Não, não era conversa a lembrar diferenças e sim lembrar lembranças.

E apareceu na conversa, entre tantos, a figura imensa do professor San Tiago Dantas, colega de Waldir Pires no Congresso na legislatura que terminou em 31 de janeiro de 1962, festejado professor de direito civil de tal monta que, quando dava aula na antiga Faculdade Nacional de Direito, os alunos tinham de se acomodar no auditório da faculdade.

Lembrou-me a passagem do professor pela Universidade de Cracóvia, a segunda mais antiga da Europa. Parece que a história teria sido contada pelo diplomata Marcílio Marques Moreira, brasileiro ilustre, então assessor do ministro San Tiago Dantas, que vinha de receber o grau de doutor *honoris causa* daquela universidade. A tradição rezava que o laureado leria o discurso de agradecimento em francês. Atente bem, advertia Waldir: deveria ler o discurso!

Mas o Professor, cansado, dormiu na viagem e não sobrara tempo para escrever o tal discurso. Não se apertou. Recebida a palavra pela ordem, o professor, de posse de folhas em branco, "leu" o discurso em um francês irretocável.

Lembrei-lhe uma história que me foi contada, na prisão da Ilha das Cobras, por Darcy Ribeiro, no veranico de maio de 1969.

Depois do golpe, o professor, já doente, foi à Paris e convidou para almoçar seu amigo Darcy, ali exilado. O almoço aconteceu no Fouquet's, badalado restaurante no Champs-Élysées. Requintado *gourmand*, o professor, logo reconhecido pelo *maître*, comandou os pratos e os vinhos. Certo vinho é escolhido pelo anfitrião para acompanhar determinado prato. Intervém o *maître* e sugere outro vinho, logo aceito, mas que levou o professor a comentar com o amigo, que certamente o vinho pedido não (mais) estava disponível. O comentário naturalmente foi feito em português.

Findo o almoço, o professor convidou Darcy a acompanhá-lo, para esticar a conversa, até o Plaza Athénée, onde se hospedava. Andaram um pouco pelo Champs-Élysées e tomaram um táxi para o hotel.

Qual não foi a surpresa da dupla ao chegar ao hotel e serem recebidos, com digna mesura, pelo *maître* do Fouquet's com duas garrafas do vinho antes pedido...

A conversa rendeu mais. Muito mais. Mas fica para outra contada.

Waldir ficou de talvez passar o Ano aqui em casa e apreciar os fogos soltados por sua filha fogueteira, na Praia de Copacabana. Oxalá!

Vida que segue.

(23.12.2011)

*As chaminés sujavam o céu,
mas o vento limpava-o, paciente.*

(Marques Rebelo, *O Trapicheiro*)

O agente internacional

Fiquei pau da vida quando o coronel do IPM (Inquérito Policial Militar) da UNE mandou me prender mais uma vez. O inquérito foi um dos primeiros a ser aberto após o golpe militar de 1964 e já rendia por mais de um ano. Era a terceira vez que eu iria depor e a terceira prisão decretada pelo idiota do coronel. Mas, dessa vez, era o exagero dos exageros. Já estava formado e exercia meu ofício de advogado, inclusive defendendo processados pela Justiça Militar. Começara me defendendo e daí para defender outros foi um pulo. Estava preso no Pelotão de Investigações Criminais (PIC) no quartel da Polícia do Exército na rua Barão de Mesquita, que, mais tarde, iria abrigar o DOI-CODI e seus terrores. No final dos anos 1950, o coronel que comandava a Chefia de Polícia do I Exército, a quem o PIC ficava subordinado, criou uma "equipe especial" para reprimir delitos de militares e naturalmente alcançava os civis que de alguma forma se envolviam com os militares transgressores. Posteriormente, esse coronel foi nomeado chefe de polícia do Distrito Federal e aplicou a experiência da "equipe" criando o Esquadrão da Morte, policiais com permissão para matar. Mais tarde, esse coronel, já então general, seria um dos articuladores do golpe contra o presidente da República, de quem era amigo e compadre e a quem jurara fidelidade. Mas isso já é outra história.

Mofei uns dias na cela do PIC esperando ser convocado para o interrogatório. As celas ficavam no fundo do quartel e bem ao lado da lixeira. Estávamos em pleno veranico de maio, o calor vinha em ondas e trazia o fedor que acabava por me sufocar. As celas ficavam lado a lado ao longo de um estreito corredor. A incomunicabilidade dos presos era absolutamente rigorosa. As sentinelas eram os famosos "catarinas", praças recrutados em Santa Catarina, alguns deles mal falando o português. Mas eram louros, altos, fortes e cumpriam ordens: essa palavra mágica que dá sentido à vida dos militares.

Antes de ser ouvido pelo encarregado do IPM, vivi dois momentos que merecem registro.

O primeiro foi no chamado "banho de sol". Uma hora diária em que o preso tinha direito a sair da cela para tomar sol, o que fazia no pátio do quartel às 12 horas, exatamente na hora em que o sol ficava tão inclemente quanto a ditadura. Pois bem, lá pelo quarto ou quinto dia, avisto na outra ponta do enorme pátio o médico Valério Konder, alto dirigente do Partido Comunista e pai de Leandro Konder, meu fraternal amigo. Ao avistar-me, Valério baixou a cabeça como a demonstrar que preferia que eu não o cumprimentasse. Comunista declarado, queria proteger o companheiro mais jovem evitando que uma demonstração de amizade o comprometesse. E assim foi. Passei pelo companheiro fingindo não conhecê-lo, embora esboçasse um sorriso. Entretanto, nem bem o ultrapassei e já me voltei exclamando:

— Me dá um abraço, doutor Valério. Essa ditadura de merda não pode impedir nosso abraço.

Valério abraçou-me comovido.

Dia seguinte, admirei-me ao vê-lo quando chegava para depor. Era incomum a presença de dois presos a não ser em caso de acareação, o que não era provável, pois eu nunca cruzara com Valério na militância política, nosso conhecimento derivava, como eu já disse, da amizade que eu tinha com um de seus filhos. Mas o fato é que Valério havia feito umas palestras na UNE para estudantes que militavam na área da política internacional e ali estava para prestar alguns esclarecimentos.

Após a qualificação do preso, o coronel iniciou o interrogatório perguntando:

— Doutor Valério, o senhor é comunista?

Valério surpreendeu-se com a pergunta do idiota do coronel. Olhou para mim meio espantado, encarou firme o coronel e respondeu singelamente:

— Há trinta anos, coronel.

Lembrei-me dessa história quase trinta anos depois quando, ao enfrentar a banca examinadora do concurso de professor titular de Direito Constitucional na minha Faculdade, fui surpreendido com a pergunta de um dos examinadores, tido e havido como prócer liberal, a pretexto de uma questão que minha tese sustentava:

— Qual é a sua ideologia, professor?

Contei-lhe, então, a história que acima narrei e o examinador ficou com a mesma cara de bunda do coronel.

O outro momento foi de aflição e teria um desdobrar patético. Estava preso, na cela ao lado, um estudante que eu não conhecia. Vi-o passar quando chegou e senti pânico em seu olhar. Assim que se acomodou, colei minha boca na grade e falei-lhe palavras de estímulo. A sentinela advertiu-me e eu me calei. Já tinha dado meu recado, que completei:

— Tem dúvida não, praça. Pode deixar. As coisas aqui são bem mansas e eu não quero alterar nada.

Pronto, era mais um recado, agora falado claramente. Não adiantou. Não sei por que cargas d'agua permitiam aos presos comer com garfo e faca, que o rapaz usou para se cortar. Começou a gritar que morria. A sentinela não atinava com o que fazer. Limitava-se a repetir o que aprendera. Que os prisioneiros não podiam falar. Afinal, permitiu-me socorrer o rapaz. Mais de vinte anos depois, esse mesmo rapaz, já então no meio da casa dos 40, atira de sua janela contra uma comemoração eleitoral e mata um motorista de praça. Em artiguete no *Jornal do Brasil*, de 21 de dezembro de 1989, sob o titulo "A lembrança de um ato de desespero", registrei o acontecimento.

> No veranico de maio de 1965, fui transferido da cadeia do DOPS para o xadrez da Polícia do Exército, na rua Barão de Mesquita, na Tijuca. Eram cubículos em que mal cabiam enxerga, pia e privada. O regime, embora de rigorosa incomunicabilidade, era melhor que o do DOPS, porque na PE ainda não havia violência física contra os presos políticos. Num domingo, sou despertado pelos gritos de socorro de um preso meu vizinho. Imediatamente, pedi à sentinela, um recruta catarinense, que chamasse o oficial de dia. Mas o atarantado praça não podia sair do posto, recebera ordens estritas nesse sentido. E ordem militar, como se sabe, está acima da razão. Mas não da bondade. Condoído com a situação do preso, que sangrava abundantemente, acedeu em abrir nossas celas, permitindo-me prestar-lhes os primeiros socorros. Atraído pelo alarido, um sargento passante afinal providenciou a remoção do preso para um hospital.
>
> Há presos que não aguentam a definitiva solidão da incomunicabilidade; a terrivel incerteza que a prisão acarreta leva-os a atentarem seriamente contra a própria vida. Rômulo foi um deles. Seu gesto de cortar os pulsos foi ato de puro desespero. Seus gritos de socorro, de arrependimento. Agora, depois de tantos

anos, vejo sua foto no *Jornal do Brasil* de ontem, sua lembrança da prisão antiga, e a notícia terrivel de que de sua arma saiu o tiro fatal para o motorista Carlos Alberto. Certamente Rômulo não queria o resultado, mas acabou matando um trabalhador que deixa viúva e dois filhos pequenos ao desamparo. Meu Deus, como é triste. Como tudo é tão triste.

Lembro-me que foi permitido a Rômulo, na volta dos curativos, que ficasse com a porta da cela aberta. Acenou para mim quando saí para o que deveria ser o derradeiro depoimento. Atencioso, o coronel me pediu desculpas mais uma vez, mas era a rotina mandar prender. Rotina para ele, sufoco para os réus. Fiz-lhe ver que não havia necessidade de me prender. Estava vivendo legalmente. Dando aulas na Faculdade Cândido Mendes e advogando regularmente. Era só me chamar. Contei que no dia anterior à prisão, exatamente no dia do jogo Brasil *versus* Inglaterra, eu havia estado ali mesmo na PE, na tentativa de entregar remédio para um preso meu cliente, e o sargento, um panaca de bigodes, supondo que eu não o ouvia, me havia referido ao oficial de dia como "aquele advogado comunista que chama a gente de coração!". E claro que a gaiatice do sargento eu omiti ao encarregado do inquérito, que ouviu minha peroração atentamente, mas respondeu: "É a rotina."

Entretanto, precisava da minha ajuda para finalmente concluir o inquérito.

— Pois não, se tiver ao meu alcance — falei polidamente. E falei por falar. Não iria ajudar filho da puta nenhum. Era só o que faltava.

— Pois, doutor Marcello, o que eu quero saber é quem era na verdade o representante da UNE na União Internacional dos Estudantes, em Praga. Os registros me forneceram o nome de Mário dos Santos, mas não bate com nenhuma liderança estudantil.

Gelei. O filho da puta me pegou. Mas fui frio:

— Nem podia, coronel.

— E por quê, posso saber?

— Evidentemente, Mário dos Santos é nome suposto, é codinome para proteger a identidade do representante. Deve ter sido por precaução. A instabilidade política da América Latina deve recomendar cuidados...

O coronel não se conteve e me interrompeu:

— E o senhor pode me dizer quem é?

A minha explicação fora tão veraz e convincente que o coronel se conformou quando encerrei o interrogatório:

— Nem desconfio.

Contraordem

Mande não
não mande
não dê ordem
voz de comando
voz de prisão.
Vozes d'África
de solidão...
Ordem é corrente
de prisão.
Não mande
senão notícias
do coração!

Auroras de outrora

A Duarte Pereira

Auroras de outrora?
São raras.
As pedras raras.
De tão raras serão pedras?
E Pedro?
...Tem pedras?
As pedras de Pedro são raras?
Haverá pedras na lua?
E havendo serão raras?
Luas de raras pedras.
Escuras umas,
Sombrias todas.
Pedro pedra rara lua.
Não sei.
Mas haverá auroras
Como outrora.
Mas raras
E preciosas ruas tuas luas e pedras.
De tão raras não serão apenas pedras.
Jogais pedras na rua?
Na cruz?
Na lua?
Em Pedro?

Inocentes pedras raras
Nas ruas escuras e raras.
Auroras claras.
Afinal!

A rosa e a ferradura

O cravo é o prego. A rosa é a rosa.
Sem cravo perde-se a ferradura,
sem ferradura perde-se o cavalo.
O cravo teve um desmaio.
Sem cavalo não tem cavaleiro.
Sem cavaleiro a rosa pôs-se a chorar,
sem cavaleiro perdeu-se a guerra.
A rosa fez serenata.
Perdeu a guerra, perdeu o reino.
Mesmo com falta do cravo,
as flores fizeram festa:
o cravo,
a rosa,
o prego e a
ferradura
foram casar.

Circo

À memória do advogado
Antônio Modesto da Silveira

Tem pão?
pão tem.
E circo?
circo tem também.
Tem goiabada?
tem sim sinhô.
Tem marmelada?
tem sim sinhô.
Tem CPI?
tem sim sinhô.
E o palhaço o que é?
Prefiro manter-me em silêncio.

Anistia: quando a liberdade abriu asas

Criada para servir de entendimento entre os homens, a anistia pode expressar o mais profundo sentimento político de superação de crises. Instituto vigoroso, abre, desassombrado, novas páginas na história, renovadas em ideais que pareciam ter desaparecido, tragados pelos horrores de um regime aparentemente imbatível, serviçal de algozes e longe de todas as vidas. Generosa, recolhe, em seu amplo regaço, o caudal de forças que, diferentes embora, se acotovelam no caminho comum, superando divergências com alguma compreensão e muitas caneladas.

Estuário natural de ânsias pela justiça, repúdio às violências, e também acerto de contas entre antigos aliados então desavindos pela proximidade do fim que advinha do regime que apoiaram e do qual se locupletaram. *Ampla, geral e irrestrita*, como repetia nosso bordão, afinal veio capenga: "ampla, geral e mesquinha", como eu dizia para acentuar o lado perverso da anistia sem, no entanto, desprezar o enorme avanço que representou a sua promulgação.

Sua limitação foi determinada pelo tamanho de nossas forças e pela presença, entre os que passaram a apoiá-la, de figuras importantes do regime agônico e que hoje ainda passeiam pelos gabinetes do poder com a mesma desenvoltura do tempo em que serviram à ditadura militar e dela se serviram. Mais desenvolta, certamente, porque agora não prestam vassalagem ao almanaque militar e sim à banca financeira que emergiu por trás do pano do regime anterior e que hoje, na boca do palco, comanda o espetáculo. *Ampla* para eles, que antigamente atendiam pelo nome de arenistas e hoje se intitulam — alguns, vejam bem, nem todos — base de sustentação do governo. Daí retirados naturalmente os *torturadores* e os *terroristas*, que não tiverem, como não têm, direito à anistia: e sem dúvida andou escondida, em algum escaninho do oportunismo ou da ignorância, a Constituição da República; afastando prescrições, veio para julgar esses fantasmas, pequenos seres candidatos à impunidade. *Mesquinha* porque muitas vítimas da ditadura ainda não tiveram seus direitos reconhecidos pelos administradores ainda prisioneiros de preconceitos contra os anistiados ou presos aos subúrbios do autoritarismo, e os que já a lograram encontram-se ameaçados de retrocesso em seus benefícios pelos impudicos agentes do regresso conservador.

A luta pela anistia contra o regime militar se inscreve entre as mais belas jornadas democráticas da nossa história. Centro escolhido da luta política, escolha precedida de muita discussão entre as oposições, nem sempre feridas no melhor nível, porque de anjos não é feita a massa que nos anima, a anistia pôde organizar todas as forças contra a ditadura. E nesse texto não posso citar tantos e todos, não que a memória não me socorra, é que não há espaço, folha de papel, tempo e razão, que abrigue tantas entidades e tanta gente. Mas seguramente seus atores me perdoarão se cito os centros de anistia, laicos e religiosos, a resistência dos presos políticos inclusive enfrentando uma greve de fome na qual expunham suas vidas à falta de qualquer outro instrumento de luta, os movimentos que no exterior acicatavam a ditadura fustigando-a com a bandeira dos direitos humanos, e Teotônio Vilela, menestrel da Alagoas, como disse o poeta, e instituição que representou o desaguadouro da anistia. E todos, todos — você que lê essas linhas não se sinta esquecido porque não é esse o meu propósito. E ao abranger todos, encontro espaço para destacar os parlamentares que votaram a anistia.

O governo enviou o projeto de lei de anistia pouco antes do recesso de julho, o que permitiu, Teotônio à frente, que os militantes lançassem em todo o país a formidável campanha pela "anistia ampla, geral e irrestrita". A princípio, Teotônio e, depois, os mais importantes políticos da oposição, percorreram *todos* os presídios políticos do país revelando a existência de presos políticos, que a censura aos jornais camuflava, e de que eram adversários do regime e não bandidos, como a situação os chamava. Com outros deputados, acompanhei Teotônio nas visitas aos presídios, de norte a sul. E também o saudoso doutor Ulysses, Pedro Simon, Saturnino Braga, Freitas Nobre, Fernando Lira entre tantos senadores e deputados, com relevo para a visita, porque de parlamentar não alinhado com nossas ideais, do presidente do Senado Luís Viana Filho, e do Senador Dinarte Mariz, a quem acompanhei, juntamente com a atriz Bete Mendes, na visita que fez aos presos políticos da Frei Caneca e que, ao dela sair, declarou à imprensa que visitara presos políticos e não terroristas, afirmação que à época em muito ajudou a posição daqueles companheiros.

Foi intensa a luta no Congresso quando da volta dos trabalhos, em agosto de 1979. Entre o MDB e a Arena, e no interior dos partidos. Na oposição, entre as forças maioritárias que aceitavam a anistia ainda que restrita e lutavam para ampliá-la e aquelas que desde logo a recusavam; na Arena, a resistência dos que também a recusavam, numa aparente aliança com os nossos, naturalmente por diferentes razões, confrontando com setores liberais do partido da situação, em especial à emenda apresentada pelo saudoso dr. Djalma Marinho, presidente da Comissão de Justiça da Câmara, redigida com a colaboração do dr. Raphael de Almeida Magalhães, quase vitoriosa no Plenário.

Em discurso que pronunciei na Câmara dos Deputados, no dia 6 de agosto de 1979, lamentei a estreiteza do projeto do governo, comparando-o, não sem algum exagero, à anistia de 1818 — éramos então colônia — que determinou o julgamento dos indiciados; aproximando-a daquela de 1822, que excetuou os presos e marcou lugar de residência forçada para os beneficiários; semelhante à de 1825, que mandava executar prontamente os confederados do Equador condenados pela Comissão Militar, além de mesquinha com a de 1895, que deixava à conveniência do Executivo a volta aos postos dos oficiais punidos: a tristemente famosa anistia inversa de que falava Rui, e que seria copiada pela que então estávamos a votar.

Comparava-a a uma espécie degradada de indulto geral, dependendo sua eficácia da Lei de Segurança Nacional, fascista e vigente. Sensibilizado pela resistência dos presos políticos, terminava minha oração afirmando que uma anistia, qualquer anistia, haveria de começar pela libertação de todos os presos políticos, não pela humilhação dos vencidos.

Foram memoráveis os debates travados na Comissão Mista do Congresso Nacional, presidida por Teotônio e relatada por Ernani Sátiro, da Arena, assim no plenário do Congresso. A título de curiosidade, já aprovado, com avanços, o substitutivo do relator, dei-me conta de que os estudantes não haviam sido contemplados no projeto. Dei ciência disso a um competentíssimo legislador, o saudoso senador Nelson Carneiro, que conseguiu de Sátiro, à caneta, pena que antes pingara fel, a emenda ao projeto já pronto para nele incluir os estudantes. Da leitura do dispositivo que abrange os estudantes aparece sua improvisação.

Afinal, votada e sancionada, a anistia abriu as portas do país aos presos, exilados, banidos, cassados, perseguidos, a todos os que se reincorporaram, pela luta comum, ao amplo movimento social e político pela redemocratização do Brasil.

A anistia decretou o fim do regime militar. Passados vinte anos, ainda está incompleta. Talvez mais ampla e geral, ampliada que foi por leis constitucionais, mas ainda mesquinha: do tamanho dos homens que usurparam o poder. Vida que segue.

(Contribuição ao livro *Nossa paixão era inventar um novo tempo*)[7]

[7] Souza; Chaves, 1999.

CAPÍTULO 5

O exílio é uma prisão sem grades

O refugiado
A metade exilada
O encontro
Calendário
Santiago do Chile
Pelas ruas de Buenos Aires

Grande parte dos políticos cassados pela ditadura militar e dos militantes considerados "subversivos" buscou exílio em países próximos. Porém, em tempos de guerra fria, marcada pela polarização ideológica, política e econômica entre Estados Unidos e União Soviética, intensificava-se a repressão nos países da América Latina, contra o crescimento de grupos de esquerda. Desde os anos 1950, as diretrizes da Doutrina de Segurança Nacional, estabelecida pelo governo dos EUA, principalmente a partir da Revolução Cubana, procuravam combater o "perigo vermelho" dentro e fora do território norte-americano, mobilizando forças conservadoras e instituindo governos militares por meio de golpes de Estado sucessivos. Depois do Paraguai (1954) e do Brasil (1964), foi a vez do Peru (1968), Bolívia (1971), Uruguai (1972), Equador (1972), Chile (1973) e Argentina (1976).

Exilado em La Paz, na Bolívia, poucos dias depois do golpe militar no Brasil, Marcello Cerqueira tentava sem sucesso obter um salvo-conduto que lhe permitisse ir para outro país. José Serra, que havia chegado junto com ele, tinha família italiana e foi para a Europa. E vários companheiros estavam partindo de trem para o Chile, onde os movimentos de esquerda conquistavam maior espaço, principalmente entre os trabalhadores e os universitários, sob a liderança de Salvador Allende, que chegaria à presidência em 1970.

Em "A metade exilada", Marcello conta sua tentativa de ir para a Argentina, quando Anísio Teixeira conseguiu para ele uma bolsa de estudos na Universidade de Buenos Aires. Depois de quatro dias no trem, foi preso por carabineiros bolivianos pouco antes de cruzar a fronteira.

De volta a La Paz, munido de um passaporte uruguaio que o partido boliviano lhe forneceu, viaja a Praga para tentar se articular com a União Internacional dos Estudantes.

Alguns meses depois percebeu que havia uma chance de sair da Bolívia quando o *general de aviación* René Barrientos, vice-presidente do país, iniciou as movimentações para um golpe de Estado. Marcello morava no caminho do aeroporto. Arrumou sua bagagem e foi para lá. O clima estava agitado. Ele se aproximou de um avião e viu que a aeromoça estava muito tensa, apressando os passageiros que chegavam. "Apura-te, apura-te!" — ela dizia. O comandante queria ir embora o quanto antes, preocupado com o que poderia acontecer. E Marcello entrou, com duas malas, sem passagem e sem saber o destino do avião.

Pousou em Arica, norte do Chile. Não podia usar ali o seu documento boliviano, pois havia uma rixa entre os dois países. Muito menos o brasileiro. Pegou um ônibus para Santiago, em uma cansativa viagem através do deserto de Atacama. Na capital chilena, sabia de memória o endereço de Paulo Alberto Monteiro de Barros, que nesse mesmo dia o levou a um jantar na casa de Salvador Allende. Além de senador, candidato à presidência da república, médico e professor, Allende dirige uma associação de solidariedade aos brasileiros exilados.

Marcello Cerqueira ficou no Chile até fevereiro de 1965, apoiado pela solidariedade de conterrâneos e mantendo estreito contato com a juventude comunista. Não podia imaginar que a maioria daqueles companheiros morreria no golpe de 1973, quando Allende foi assassinado no palácio presidencial de La Moneda e milhares de pessoas foram torturadas e fuziladas no Estádio Nacional.

A viagem de volta ao Brasil é narrada em "O encontro". A providencial ajuda de um chefe da aduana para atravessar a fronteira do Chile com a Argentina. O apoio de ativistas em Mendoza. A hospitalidade de companheiros em Buenos Aires e "a fantástica noite portenha, suas casas de tango, seus agradáveis cafés, suas garotas adoráveis". Muita farra e pouca política, melhor assim, já que "a situação política argentina começava a encacharrar". O velho DC-3 até Colônia, no Uruguai, e a trilha para Livramento, no extremo sul do Brasil.

Permanece por alguns meses na clandestinidade, em São Paulo, e decide voltar ao Rio de Janeiro, onde se deixa prender, "para legalizar o retorno" e livrar-se da "prisão sem grades". Fica preso por cem dias no DOPS, que funcionava no antigo prédio da Repartição Central de Polícia, na Rua da Relação, e no Batalhão de Polícia do Exército, na Tijuca. Solto por meio de um *habeas corpus*, retoma os estudos e conclui o curso de Direito na mesma faculdade que ele havia sido forçado a abandonar quando eclodiu o golpe de 1964.

Anos depois, volta a Santiago, Buenos Aires e Praga, revivendo lembranças dos tempos de exílio.

(G.B.)

O refugiado
A José Serra

O exílio é uma prisão sem grades.

(1964)

...Me sabra corazón.

(Miguel Hernandez)

A metade exilada

Estava exilado em La Paz, no inverno de 1964, quando o professor Anísio Teixeira me conseguiu uma bolsa de estudos na Universidade de Buenos Aires e tomei o trem para a Argentina. Quatro dias depois de muito sacolejo, chego a fronteira dos dois países, as cidades de La Quiaca e Villazón. Feita a Alfândega, o trem lentamente se pôs em movimento, mas, em seguida, para abruptamente; carabineiros bolivianos o cercaram e iniciaram uma busca rigorosa em todos os vagões. Quem seria o criminoso? Perguntava aos botões do meu sobretudo.

— *Su passaporte, señor.*

Era a mim que procuravam.

E logo me encontrei preso no quartel dos carabineiros. E sem conseguir qualquer explicação. A polícia se refugiava nas ordens que recebera. "*Ordenes, ordenes.*" Gelei quando me puseram na cela em que iria passar a noite. A cela era gradeada como toda cela, mas aberta para o pátio. Eu iria congelar.

O socorro me chegou inesperadamente. E pela mão de uma fada. Naturalmente, se chamava Socorro e se hospedava, quando em La Paz, no hotel em que os exilados moravam. O Gran Hotel era um casarão velho que teria conhecido seus tempos de fausto há muitos e muitos anos, mas que ainda conservava como lembrança de antigos tempos, lindas guarnições de cama em anoso metal dourado e fantásticas banheiras, que eram cheias de água quente trazida da cozinha por um camareiro *cholo* em belas jarras, certamente um legado mouro vindo da Espanha colonizadora. Sem calefação, não havia cobertor que desse conta do frio. E era no frio que eu pensava, quando tiritava dele na cela, e me entrou Socorro, após, naturalmente, subornar o sentinela. Viu a prisão e saltara do trem. Eu mal a conhecia. Trocávamos cumprimentos formais quando nos encontrávamos no corredor que levava ao restaurante onde era servido o magro desjejum. Habitava um quarto sem banheiro, o que demonstrava a condição modesta em que vivia. Junto com o irmão, soube depois, comprava mercadorias em São Paulo ou Buenos Aires para revender em La Paz; entregava-se a um honesto contrabando. Enfrentava o "trem da morte" para Santa Cruz de la Sierra e aquele maldito trem para Buenos Aires, alternadamente. Para minha sorte, havia optado pela viagem à Argentina e, então, entrava na cela trazendo *té con té* numa garrafa térmica, uma mistura de chá quente com pisco que me aliviou da friagem que me subia pelos pés cansados de bater no chão, além do conforto de sua presença. Trigueira, corpo bem formado, com suaves traços indígenas, aos 30 e poucos anos, Socorro era uma mulher atraente. O que facilitava sua comunicação com as autoridades carcerárias, sem falar de sua prática de com elas lidar na faina de livrar da Alfândega as mercadorias que trazia. Não sei como arranjou um pequeno fogareiro que me entregou com a recomendação de deixá-lo junto à grade da cela e dele ficar longe para evitar o perigo da intoxicação do carvão em brasas. Reservada, econômica de palavras, Socorro foi embora, silenciosamente, como entrara, após apertar-me a mão e prometer ver-me pela manhã. Nem pude agradecer-lhe. Passei a noite na imunda enxerga da cela, aquecido pela infusão milagrosa, pelo braseiro e pela incrível generosidade de uma quase desconhecida mulher.

Dia seguinte, enfiaram-me no trem que fazia o trajeto de volta. Passei quatro dias algemado. As algemas eram retiradas no vagão restaurante para eu fazer as três refeições. No primeiro dia, causei espanto aos passageiros que almoçavam. Calmamente, no meu sofrível espanhol, expliquei-lhes que era exilado político e que protestava contra a minha prisão. A Bolívia que me abrigara, então, me prendia. "Por quê?", eu perguntava. E eu mesmo respondia. "Não sei." A escolta apenas me repetia o que já ouvira no quartel: cumpriam ordens. Na hora de deitar, o policial livrava-me a algema de uma das mãos e a prendia na guarda da cama. Já no segundo dia, a escolta baixou um pouco a guarda, mas não se rendeu aos meus argumentos de que poderia retirar as algemas. Iria para onde no trem em movimento? E fugir, para quê? Tinha certeza que iria esclarecer tudo quando chegasse. Nada. "*Ordenes, ordenes.*"

Quando chegamos à estação ferroviária de La Paz, a pequena colônia de exilados lá estava a me esperar, prevenidos que foram por um telegrama da Socorro, que prosseguira sua viagem no primeiro trem que demandasse a Buenos Aires. Haviam procurado as autoridades para saber a razão de minha prisão e como fariam para soltar-me. A eles, disseram que estavam examinando, mas que não se preocupassem. Após algumas formalidades, eu seria solto. Entre as formalidades figurava a de passar a noite na cadeia do Control Político, famosa pelas torturas que invariavelmente praticava o general San Martin para qualquer governo que estivesse no poder, aos quais servia com invariável lealdade. Baixo, careca, cara bexiguenta, a aparência do general era aterradora e ele a cultivava cuidadosamente. Perguntou-me por que me prenderam e eu respondi que era exatamente o que eu vinha tentando saber desde La Quiaca, mas sem êxito. Fixou-me seus olhos maus e, surpreendentemente, para mim, que já esperava algum tipo de represália, deu de ombros e foi provavelmente espantar outro preso, superintender alguma tortura particularmente atraente. Fiquei numa sala ampla entregue aos meus próprios pensamentos, que eram naturalmente sombrios. Dormi mal e mal e, de manhãzinha, um tira fedorento, com uma capa de chuva que curiosamente parecia o uniforme dos membros do serviço secreto boliviano, abriu-me a porta da cadeia e fui devolvido à liberdade, também sem lograr qualquer informação sobre a prisão, e, logo, abraçado pelos companheiros. Precisava desesperadamente de um bom banho. O que consegui numa casa de banhos de propriedade de um chinês também dono da lavanderia do hotel e marido de uma paraguaia famosa pelos escândalos que fazia na hora de gozar, com o marido ou sem ele. O banho não era muito popular no inverno e, em função disso, por uma pequeníssima importância, além do chuveiro quente, o freguês tinha direito a um pedaço de sabonete e a uma toalha da qual se desprendia o cheiro rançoso comum às roupas *paceñas*. Limpo, de qualquer forma. E faminto. Os apertos por que passei justificaram o copioso café da manhã que me permiti tomar na *Confitería* Eli, localizada no Prado, o principal ponto de encontro da cidade. Como curiosidade, lembro-me perfeitamente de que os doces mil-folhas da *confitería* deveriam ter exatamente mil-folhas. Não, continuava não sabendo as razões da violência policial, mas podia servir aos amigos a incrível história da providencial Socorro, ouvida por todos como quem escuta reza nova. E já acertada ficou uma *"comida"* em homenagem à salvadora quando ela voltasse a La Paz, o que foi feito no próprio restaurante do hotel e dentro de nossas limitadas posses. Mas o que faltou em iguaria sobrou em afeição. E uma Socorro constrangida por ser, provavelmente pela primeira vez, centro das atenções e alvo de homenagens que se multiplicavam nos discursos que a saudavam. Ficou satisfeita, mas achou um tanto exagerados os elogios: era o jeito dela. Nunca mais a vi.

Mas, assim que voltei ao quarto, vi a carta com a letra roxa que Ana Luíza usava para sobrescritar sua correspondência. E assaltou-me o pressentimento de que não trazia boas novas. Não deu outra. Comunicava-me seu próximo casamento com Danilo, seu colega de turma na Faculdade de Medicina e namorado antigo, namoro que rompeu quando começamos e que reatara quando terminou comigo: "Você namora a política se já não está definitivamente casado com ela." Deixou-me plantado no mesmo banco da praia de Gragoatá que testemunhara nosso romance. Ela, antes, havia bravamente enfrentado a família que se opusera ao namoro. Éramos militantes de juventude. Ela da JUC — Juventude Universitária Católica — e eu da UJC — União da Juventude Comunista. Não podiam ser mais diferentes os mundos. O mundo da guerra fria lá fora e o mundo da radicalização política aqui dentro. O pai não me tolerava, os irmãos idem. Um deles, meu colega de turma na Faculdade de Filosofia, cortou-me o cumprimento e, quando o procurei para um entendimento franco, foi franco, também: "Você não serve pra minha irmã". A mãe, que me conhecera antes de suspeitar que a gente iria namorar, era mais indulgente, mas não aconselhava o namoro: "Ele é um bom rapaz, e educado, sei que é de boa família, mas esse namoro não vai dar certo. E melhor você obedecer ao seu pai." Não obedeceu e o namoro cresceu em labaredas. Deixei de cumprir algumas tarefas do partido e fui chamado a atenção pela direção. "Está com algum problema, companheiro?", perguntou-me o dirigente. Estava, sim. Com um problema grande, cabeludo, incontornável: paixão das brabas, paixonite aguda. Adiantava contar? De natural acanhado, fechava-me na concha quando se tratava de questões pessoais. Apossava-se de mim um constrangimento de tal monta que me impedia até mesmo de uma confidência a um amigo. Com o dirigente, então, nem pensar.

"Nada, companheiro", respondi. "Coisa miúda que eu mesmo resolvo. Pode deixar que vou botar tento nas tarefas." E botei, mesmo. Mal saberia ele que a causa de tanta aplicação era o rompimento que me impusera Ana Luíza. Eu então trabalhava como repórter plantonista no *Diário de Notícias*, como redator da seção literária no *Metropolitano*, jornal da União dos Estudantes, estudava à noite e ainda gravava um programa com o pretensioso nome de *Ouça a verdade*, levado pelas ondas da combativa Rádio Mayrink Veiga, três vezes por semana, às onze da noite. Sobrava-me pouco tempo para amargar a separação. Mas que doía, doía. Dobrei a carta e devolvi ao envelope. Pela janela do hotel avistava o monte Illimani. A Cordilheira dos Andes se erguia em toda a sua majestade. Eu sentia frio e lamentava não ter lutado por ela, com ela e comigo. Merda de política. Um amigo meu já me havia advertido: "Você sofre de oligofrenia política." Merda de política. Merda de golpe militar. Merda de exilio. Já não queria mais a bolsa na Universidade argentina. O partido queria que eu fosse para a União Internacional dos Estudantes, em Praga; não aceitara. Quem sabe se a ideia de estudar em Buenos Aires não era para ficar mais perto dela ou pelo menos não cortar os laços que fatalmente seriam rompidos se eu fosse morar em Praga, virar um quadro internacional do partido, dar outro rumo a vida? Quem sabe? Eu não sabia nada. Ou melhor, sabia que a partir daquele momento iria aceitar a tarefa. E pensava nela com um aperto no coração. Nem bem a vi e logo por ela me interessei. Ela, também. Mas custou a aceitar um singelo convite para um passeio na praia de Gragoatá. "Eu quero 'falar' com você", eu disse num dia em que tomara coragem animado por algumas batidas do Caneco Gelado do Mario, pé-sujo localizado na parte velha de Niterói, na rua Marques de Caxias, do tempo em que o duque ainda era marquês; "falar" era o eufemismo que então se usava para propor namoro.

— Fomos feitos um para o outro, como o morango e o vinho — falei, então.
— Eu sou comprometida.
— Eu sei.
— Então?
— Então, você se descomprometa e se comprometa comigo, ora.
— Pensa que é fácil assim?
— Penso.
— Pensa?
— Penso. Só penso em você.
Ela olhou-me séria:
— Eu também penso em você, embora não devesse.

Exultei. Mas ainda levou um mês para o passeio. Quando segurei sua mão, senti que a amaria por toda a vida e mais cem anos. Quando ela me entregou o primeiro beijo, pensei desfalecer, mas a tive de segurar pois desfalecia ela. Santo Deus! Como o céu podia ter tantas estrelas? Merda, como pude ser tão idiota?

Chamado dia seguinte, à Seção de Estrangeiros, soube que não poderia sair de La Paz sem prévia autorização daquele órgão, que, espantosamente, indenizou-me da passagem de trem que gastara na frustrada viagem a Buenos Aires. Sobre as razões da prisão, a mesma cantilena: *"Ordenes, ordenes."* Munido de um passaporte uruguaio, que o partido boliviano me fornecera, viajei a Praga.

II

Receberia outra carta dela, em Praga, anos depois. O mesmo cursivo roxo. Tive o pressentimento de que eram boas notícias. E eram. Praga vivia sua primavera. A "Primavera de Praga" animava utopias, realimentava sonhos. Ana Luíza estava em

Paris, onde fazia um mestrado na sua especialidade. Gostaria de ver-me. Escreveu-me aos cuidados do meu editor, em Paris. A carta levou uns dias para chegar, mas chegou. Respondi-lhe dizendo que queria vê-la também. Mas não entendia por que só me havia mandado o endereço e não o telefone, poderia telefonar e... Não, queria ver-me e falar comigo ao mesmo tempo. A face e a voz. Soubera de mim por um livro meu que uma colega sua de hospital estava lendo. Foi um choque, me diria na carta, ver meu nome na edição francesa do *Le Tablis*, o último romance que eu lançara, o que soube lendo a apresentação, que também informava minha residência em Praga. "Pois, então, marque o encontro", eu escrevi. "Semana que vem, terça-feira", respondeu ela, "em frente à estátua da Vitória da Samotrácia, no Museu do Louvre, às duas horas da tarde". Contei os dias, as horas. O trem nada de chegar e, contudo, absolutamente no horário como me disse o paciente condutor, mesmo após a décima vez que ouvia a pergunta. Entretanto, o trem atrasou-se e cheguei, com o coração na boca, meia hora após a hora marcada. Mas elas estavam lá. Lindas para a eternidade. Ela postou-se de costas para a outra e de frente para mim, que chegava ofegante. Abraçamo-nos. Tanto a dizer e as palavras não saíam. "Você está bem." "Você também." "Quanto tempo..." "Muito tempo."

Ela vinha sempre ao Louvre. Mas, como a personagem patética de *Servidão Humana* de Maugham, achava melhor não absorver a arte de uma vez só. Sugeriu passearmos na margem esquerda do Sena. Há tanta coisa a contar. Já estava em Paris havia seis meses. Não perguntei por que só me escrevera depois de tanto tempo. Fora uma oportunidade única a da bolsa de estudos. Os anos da Aliança Francesa, que antes a aborreceram, foram decisivos para a classificação. Ousei um pouco. "E o marido?" Ia bem, colhendo êxitos na profissão. Mais não perguntei, seria entrar em um terreno que ela certamente queria preservar. Ou, então, teria contado. Mas, provavelmente, o casamento não ia muito bem, o que explicava cursar dois anos em Paris longe dele. "Eu? Nada muito sério: uma ligação com uma eslovaca". "Filhos?" "Não." "Nem eu." Frequentava o Louvre, também. Sempre. Hemingway ia todas as tardes ao museu do Jardim de Luxemburgo para rever os impressionistas e aprender com o traço de Cézanne a lapidar-se como escritor. A propósito, havia lido meu ensaio sobre Hemingway. Gostou? Gostara sim. Falando para me agradar? Não, ficava feliz com o meu sucesso como escritor. Pobre sucesso. Não, deixe de modéstia. Tanto que propunha celebrar nosso reencontro com um copo de vinho no Deux-Magots ou no La Closerie des Lilas, cafés preferidos pelo grande escritor. O Closerie era o mais próximo café do apartamento de Hemingway quando ele morava na rua Notre Dame des Champs; mas, no Deux-Magots, Hemingway ouvia, encabulado, Fitzgerald, autor de *O grande Gatsby*, fazer-lhe altos elogios enquanto tomava quantidade industriais de bom champanhe. Pois então no Deux-Magots. Descemos a *rue* Bonaparte até o café. Acomodamo-nos nas cadeiras em frente a uma de suas pequeninas mesas e pedimos dois copos de vinho branco. Veio Chablis e eu lembrei que Hemingway talvez preferisse o seu Sancerre. "Mais tarde", ela disse, "vamos tomá-lo no jantar em um bistrôzinho muito agradável aqui perto, para os lados do Odeon. Eu iria gostar." Queria mais notícias minhas, as que tinha no Brasil eram insuficientes. Contei que agora trabalhava na União Internacional de Escritores e estávamos convocando um congresso de todos os escritores comprometidos com a causa da democracia no mundo para prestigiar a abertura de Praga. Temíamos a reação soviética e a oposição do Pacto de Varsóvia, mas estávamos, na verdade, muito animados. Agora, o socialismo iria triunfar, tinha absoluta certeza. Como eu vivia? Vivia bem. Os livros pagavam um razoável direito autoral. Não tinha queixas. Todo mês viajava a Milão para ajudar a fechar a *Voz Operária*, que depois enviávamos ao Brasil. Não tinha passaporte brasileiro, os consulados sempre me recusaram o documento. A Casa das Américas me conseguira um, viajava com ele. Mas não tinha problemas na França porque havia conseguido residência como exilado. Ia vivendo. Esperando o tempo de voltar. A ditadura não demoraria muito a cair. Já dava sinais de exaustão. Cabeça nas nuvens, pés no chão, Ana Luiza desviou a conversa.

— Sabe?, li *O Trapicheiro*, do seu amigo Marques Rebelo. É notável. Entendi a brincadeira que você fazia com meu nome, ou parte dele. Chama-se Luiza a namorada. Linguodental, sibilante, sonoro...

— É? Você guardou — achei de comentar.

E falamos dos velhos amigos, recordamos os tempos de estudantes, mas, como se presa de secreta combinação, evitamos falar de nossos sentimentos vividos. E falar pra quê, se estávamos juntos em Paris.

— Você precisa conhecer Praga — comentei quando acabamos de passar em revista os amigos, os conhecidos, nossa querida Niterói. — Praga é a mais bonita cidade da Europa, depois de Paris.

Ana Luiza não respondeu. Era como se evitasse um convite que por certo viria com apenas uma ponta de interesse demonstrado.

— Vamos jantar — ela disse.

E caminhamos de braços dados pelo bulevar Saint Germain até a *rue* Casemir Delavigne, ao agradável bistrô.

— Vamos provar a *bouillabaise*, você vai gostar, o *patron* é de Marseille. Peça seu vinho.

E eu, no meu francês execrável, comandei ambos. Antes, champanhe *demisec*, depois, *gâteu ao chocolat*, conhaque e café. Os ponteiros se aproximavam perigosamente da meia-noite.

— Você me disse que se hospeda sempre no Esmeralda?

— Onde fica?

— No Boul' Mich'. Na *rue* Saint-Julien-le-Pauvre. É um hotelzinho lindo. A municipalidade quis interditá-lo não sei hem o porquê, mas os intelectuais, Sartre a frente, fizeram um movimento e mantiveram o hotel. É uma gracinha. Você abre a janela de manhã e vê em frente os jardins da Igreja de Saint-Julien-le-Pauvre à esquerda a Catedral de Notre-Dame.

Ana Luíza consultou o relógio, pegou-me as mãos, olhou-me nos olhos:

— Foi uma noite maravilhosa...

Concordei com o coração e a cabeça balançou concordando.

— ...Mas preciso ir.

Concordei novamente. Levantamo-nos. A noite estava agradável lá fora. A lua ficou espiando a gente.

— Amanhã, pego cedo no hospital. Tomamos o metrô no Odeon, você fica no Saint-Michel e eu faço minha *correspondance*. Depois...

Cortei. Eu vinha da Primavera de Praga tão cheio de esperanças. Havia tanta delicadeza no ar da primavera de Paris. Ana Luíza era a primavera de Praga e o ar primaveril de Paris nela reunidos. O champanhe, o vinho, o conhaque — pensei na lua e tomei coragem:

— Você não quer ir comigo pro Esmeralda?

Ela estreitou-me ainda mais as mãos, beijou-me a face, senti seus olhos marejados:

— Não, meu amor. Iria estragar tudo. Você é meu namorado. Vai ser sempre meu namorado.

Rendi-me, mas lamentei:

— Nós deveríamos ter casado.

Ela abraçou-me e sussurrou:

— Você não me pediu.

8 Cerqueira, 2001.

(Do livro *O sapato de Humphrey Bogart*)[8]

> *Do lado esquerdo carrego meus mortos.*
> *Por isso caminho um pouco de banda.*
>
> (Carlos Drummond de Andrade)

O encontro

Logo no início de 1965, Rogério Monteiro, chamado *Senador*, e eu deixamos o exílio chileno e iniciamos a jornada de retorno ao Brasil.

Na véspera da partida, altas despedidas em casa de Adão Pereira Nunes, com direito a discurso pronunciado por Roberto Morena. O velho revolucionário servia conselhos como antes fornecera contatos e senhas em Mendoza e Buenos Aires.

O pequeno ônibus venceu a duras penas o íngreme, estreito e por vezes perigoso caminho que leva a Portillo, centro de esportes de inverno que estava absolutamente às moscas naquele verão. Adiante, a fronteira com a Argentina e a dificuldade em transpô-la. É que não dispúnhamos de passaporte e a carteira de identidade não permitia o retorno ao Brasil porque o acordo diplomático então vigente só autorizava idas e vindas entre países limítrofes.

Entretanto, tínhamos um trunfo. É que a moça que atendia aos passageiros em Santiago nos alertou para o problema, mas se encarregou de antecipar a solução ao nos colocar em contato telefônico com um certo *señor* La Peña, chefe da aduana na fronteira com Mendoza, que autorizou nossa viagem.

Foi o que relatei à autoridade que nos negava a entrada e que mesmo assim se obstinava na recusa. O referido La Peña era, segundo o guarda, um tipo de coração mole e atendia a todos os pedidos. Só que não estava no momento e, por isso, nós teríamos de *volver no más*. Disse pro *Senador* pra ficar engabelando o cara enquanto pedia a ele indicação do *urinário* pois estava com a bexiga a estourar. Escapuli e no pequeno povoado não foi difícil encontrar o *señor* La Peña, que se lembrava perfeitamente dos *jovenes brasileños* cuja viagem autorizara. Daria um *permiso* de trânsito válido por dez dias, sem dúvida. Em sua companhia, voltei ao posto e o guarda filho da puta não teve outra saída senão a de carimbar a *tarjeta* que nos abria as portas para a Argentina.

Já na bela cidade de Mendoza, conhecida pela excelência de seus vinhos, procuramos a pensão indicada por Morena e lá nos instalamos à espera do contato, que não demoraria. Dom Flores era um ativista que já conhecera dias melhores, mas mesmo assim ainda trazia altivo o semblante e esmerava em endireitar as costas que o tempo teimava em curvar. Levou-nos a jantar num modesto, porém excelente restaurante, também de um companheiro, e, na manhã seguinte, nos despachou com passagens de segunda classe em um trem de ferro que demandava a capital.

Chegamos madrugadinha em Buenos Aires e nos deixamos ficar no café da estação ferroviária de Belgrano até a hora do encontro na *oficina* do advogado Cerruti Costa, na *calle* Esmeralda. O partido estava na legalidade apenas formalmente. A situação política argentina começava a encachorrar, e os dirigentes mais importantes já tomavam precauções, uma delas, naturalmente, era a de não pisar na sede, que ficava perto do escritório de Cerruti e cuja porta só se abria após rigorosa identificação do visitante. A senha que o Morena nos dera funcionou e fomos atendidos. Rogério se hospedou em casa de uns judeus ricos, simpatizantes do partido, lá pelos lados de Palermo, e eu em casa de um estudante de medicina, natural da cidade de Rosário, chamado Alberto, bem no centro da cidade. Estranhei quando entrei na casa porque me vi em um consultório dentário e logo recebi a explicação: os donos da casa, pai e mãe do Alberto, membros antigos do partido, eram dentistas, e a sala servia de consultório a ambos. Apartamento espaçoso era também servido por outra entrada lateral que lhe dava privacidade e não prejudicava o atendimento aos clientes. O consultório não interferia na rotina da casa a não ser pelo forte odor de eugenol que impregnava todos os ambientes e me dava a sensação de que a qualquer momento um meu dente seria inevitavelmente extraído.

Alberto era uma companhia formidável. Amante do tango tradicional, não desprezava seus avanços. Foi em sua casa que pela primeira vez ouvi a música de Astor Piazzola e fui apresentado ao seu incrível *Adios nonino*. O notável compositor era incompreendido em sua terra e só após o êxito que lhe veio do estrangeiro, especialmente de Paris e Nova York, passou a ser mais bem-aceito pelas plateias portenhas, e, mesmo assim, em termos, pois, a resistência ainda era grande contra a novidade que oferecia. O argentino se aferrava ao tango estilo Gardel como se essa música esplêndida não pudesse competir com o tango novo que Piazzola criava, música também da cidade de Buenos Aires, como ele mesmo fazia questão de repetir, não tendo dúvidas em chegar às fuças de algum recalcitrante não inteiramente convencido, mesmo após tantas e tão belas explanações, pois o maestro tinha pavio curto, a ele não custando completar explicações musicais com porradas para valer.

Melhor para Alberto que adorava Gardel e Piazzola e ganhava em dobro o prazer de ouvir a boa música de ambos.

Comparava o novo tango com a nossa bossa nova, descobrindo semelhança e surpreendendo harmonias. Perdão, a bossa nova se aproximava do compasso do jazz americano, já o novo tango sofria a influência da música clássica, argumentava eu inutilmente para um ouvinte mais preocupado em definir o novo tango como a bossa nova argentina do que buscar origens *más lejanas*. Diferenças conceituais que não nos impediram de viver a fantástica noite portenha, suas casas de tango, seus agradáveis cafés, suas garotas adoráveis. Muita farra e pouca política. Era muito reservado o Alberto. Melhor assim.

E não foi sem muita pena que recebi instruções para tomar um velho DC-3 que então fazia a linha Buenos Aires/Colonia, já no Uruguai, onde nos esperava Batistinha, antigo ferroviário e deputado cassado, que se exilara em Montevidéu, onde cumpria a tarefa de ligação com Porto Alegre. Deu-nos o contato em Tacuarembó.

Um certo Ziggia, dono de uma livraria, que nos receberia e providenciaria nossa volta quando ouvisse a senha: "Trago couros para Livramento." Lembro-me de que Rogério, incorrigível conquistador, acertou duas lindas moças para dividir a noite conosco e marcou encontro em um café perto da pensão que nos alojava. Inutilmente esperamos.

Ainda sob o efeito do bolo, nos mandamos para Tacuarembó. O livreiro era um tipo alto, espadaúdo, com grossos bigodes que lhe tomavam o rosto largo. Ao ouvir a senha, abriu-se em sorrisos e indicou-nos uma porta nos fundos da loja por onde entramos e logo nos vimos na sala onde pendia um enorme retrato do anfitrião abraçado ao camarada Prestes. Estávamos em casa.

Fez-nos chegar a Livramento por uma trilha e tomamos o trem que nos levaria a Porto Alegre e a outro contato, que nos ligou a São Paulo, onde uma empresa muito agradável nos seria reservada. E que lá nos hospedou Geraldo Monteiro de Barros, tio de Paulo Alberto e querido amigo nosso, extraordinário conversador e cozinheiro de mão-cheia. Surpresa das surpresas, lá estava amoitado o Aluízio Leite, mais tarde renomado livreiro na praça do Rio de Janeiro.

Ficamos uns dias em São Paulo e finalmente, com o Aluízio, retomamos ao Rio. Só voltaria a São Paulo tempos depois para conversar com Índio, que me deu notícias de Alberto.

II

Voltaria em pouco mais de um ano. Mas se a cidade era a mesma, os tempos eram outros. Hospedei-me novamente em casa do querido Geraldo. Conversamos conversas do passado, lembramos os amigos e o pedaço do exílio comum em La Paz, além de naturalmente passar em revista a chamada conjuntura, exercício a que se dedicam exaustivamente os militantes como se a roda da vida dependesse de suas avaliações.

O contexto político já era de exacerbação da guerra fria. A via pacífica para o processo revolucionário parecia cortada com a sucessão de golpes na América Latina. O apelo de Cuba, que a guerra do Vietnã dramatizava, comovia corações e incendiava esperanças. O Che prometia transformar os Andes numa imensa Sierra Maestra, dando curso não apenas a uma antiga aspiração, mas também honrando compromisso que assumira com os vietnamitas, em Hanói, após se retirar do antigo Congo belga desiludido em face da absoluta impossibilidade de articular o movimento revolucionário latino-americano com o africano. Comprometera-se com Ho Chi Minh e com o general Giap em abrir uma segunda frente contra os Estados Unidos. No Vietnã, os americanos combatiam longe do seu território; na América Latina teriam de lutar diretamente em sua área de influência. Giap valia-se da experiência da Segunda Guerra Mundial quando os aliados criaram uma segunda frente contra o então poderoso exército alemão, ferido de morte após o embarque na Normandia, mas esquecia o que ensinava: a história só se repete no varejo, jamais no atacado.

Os cubanos estavam convencidos de que os Estados Unidos iriam invadir sua ilha, e a legítima defesa era conflagrar o continente forçando o exército norte-americano a diversas intervenções, deslembrados de que a desastrada intervenção na República Dominicana mudaria o comportamento do Departamento de Estado, que passaria a apoiar sua política diretamente nos exercícios dos países vizinhos, fomentando golpes militares, assessorando-os, financiando-os, mas jamais os invadindo com suas tropas para inaugurar pequenos Vietnãs pela América Latina a dentro. O comandante Ernesto Che Guevara voltara incógnito de Cuba, viajando, desde Paris, no Ilushin que Fidel recebera de presente de Kruschev e que dispunha de tanques especiais que lhe permitiam fazer a travessia Moscou-Havana sem escalas. Além de Castro, poucos chefes militares cubanos esperavam o Che, cuja viagem fora cercada do maior sigilo. Fidel e Che, sozinhos, como de costume, conversam por quarenta horas seguidas. Acertaram seus ponteiros em defesa de Cuba e da revolução. No dia em que partiu, Fidel organizou uma despedida para o companheiro, mas disse aos demais convivas que se tratava de um dignitário estrangeiro. Ninguém reconheceu o Che, o disfarce estava perfeito.

A teoria do *foco* ganhava adeptos. Seriam instaladas três frentes na Bolívia, de onde partiriam colunas e se encontrariam com outras que viriam do Peru, da Argentina e do Brasil, esta organizada no Uruguai. O *foco* boliviano serviria como centro de adestramento militar e reenviaria para os países de origem os quadros já treinados. Os povos reviveriam suas lutas anticoloniais e um novo Simon Bolívar estaria a caminho para resgatar soberanias perdidas.

No início de 1966, seria aberta a 1ª Conferência Tricontinental, em Havana, marcada pelo aprofundamento do já declarado conflito sino-soviético. No último dia do encontro, o senador Salvador Allende propõe a criação da Organização Latino-Americana de Solidariedade (Olas), afinal aprovada pela unanimidade das 27 delegações presentes, uma espécie de cópia do Komintern dos anos 1930.

III

Encontro o Índio no Viaduto do Chá no final da tarde, hora de intenso movimento, o que protege a clandestinidade. E logo sou prisioneiro de seu forte abraço. Sua alegria era contagiante, esquentava a noitinha fria da garoa. Mas não impediu a chuva que de repente caiu pra valer. Refugiamo-nos num restaurante e botamos a conversa em dia.

Preparava-se para viajar a Havana, via Praga, e participar da Conferência de Solidariedade dos Povos da América Latina. Dava cumprimento a resolução do Comitê Central, que apoiara as decisões da Conferência Tricontinental de Havana. Se voltaram atrás o problema não era dele. Arrumaram firulas jurídicas para derrubar uma eleição em um partido clandestino. Pouco importava, a revolução prescindiria dos velhos partidos voltados exclusivamente para a URSS e para sua acomodada política de superpotência e por isso deformados. Os soviéticos querem preservar seu imenso parque industrial dos azares de um confronto com os americanos. A necessidade dos países subdesenvolvidos era outra: só sairão da dependência econômica do imperialismo através da luta armada. Não será assumindo posição caudatária à política soviética que poderemos avançar o socialismo no mundo. Os soviéticos que cuidassem dos seus interesses, nós cuidaremos dos interesses do povo brasileiro.

Pondero que a bruxa estava solta e nada favorável aos revolucionários latino-americanos. Recordo o assassinato de

Guillermo Lobatón, no Peru; Camilo Torres, na Colômbia, nosso amigo comum apresentado que foi por Thiago de Mello em Praga, estaria lembrado? E os quase trinta dirigentes revolucionários guatemaltecos mortos em uma mesma operação, além de Túcios Lima trucidado em seguida? E Fabrício Ojeda na Venezuela? A guerrilha foi apenas uma forma de luta, não pode ser transformada em estratégia do movimento. Se nós aprendemos com Cuba e o Vietnã, o inimigo também. É inútil tentar reproduzir entreveros que seriam eliminados por simples helicópteros. A população ainda não estava mobilizada contra a ditadura. Para que queimar etapas? A decisão de declarar guerra continental contra os Estados Unidos é uma rematada loucura. Fomos derrotados politicamente pelos militares. Precisávamos derrotá-los politicamente, ora. Iniciamos entendimentos com Jango, Juscelino Kubitschek, Lacerda e, naturalmente, Prestes. A ideia era organizar uma ampla frente pela redemocratização, anistia ampla, convocação de uma Assembleia Constituinte...

Índio corta minha arenga.

— Você não quer jantar? Conheço uma cantina excelente aqui perto. E melhor do que ouvir esse seu papo furado. Vocês vão fazer aliança com nossos inimigos e obrigar o regime a reagir contra vocês. É de vocês a escolha. Nossos caminhos se separam sem retorno.

E ante o meu estupor.

— Mas não a nossa amizade. Vamos jantar e tomar um bom vinho porque a vida vale o que vale.

Caminhávamos em direção á praça do Patriarca quando ele se lembrou de alguma coisa, parou e segurou meu braço.

— Você conheceu na Argentina um médico chamado Alberto não sei o quê?

— Conheci, sim. Hospedei-me na em casa dele quando passei por Buenos Aires, em 1965. Por quê?

— Perguntou-me por você, em Havana. Ficaram amigos, não?

— Ficamos.
— Então a notícia não é boa.
— Que notícia?
— Os pais dele morreram...
— Morreram? Como?
— Se mataram. Abriram o gás e morreram juntos.

IV

Índio iria morrer numa cilada armada pela repressão. Os jornais noticiaram o crime e estamparam a foto do morto no carro ao lado de sua companheira, também assassinada. A versão da polícia é que ele teria resistido à ordem de prisão e tombado no tiroteio. Mentira. Índio fora morto numa tocaia, à traição. Eu estava numa reunião quando chegou a notícia; ficamos muito abalados.

Divergências políticas? Qual, todos morremos um pouco naquela noite. O delegado que o assassinou seria morto, mais tarde, por agentes da repressão: acerto entre eles, queima de arquivo.

V

Tempos depois, ao voltar para casa do batente, a empregada me informou que uma pessoa, um homem, havia telefonado várias vezes. Falava diferente, como se não fosse brasileiro; mas português não era, tinha certeza. Falando nele e o telefone tocou novamente. Daquela vez, atendo e reconheço a voz do Alberto:

— *Como estás?*

Eu estava bem. E ele, onde estava? Na rodoviária. Precisava de um favor. Como não. Esperasse que eu já estava chegando.

Nesse tempo, eu morava em Grajaú e foi só montar no fusquinha e num pulo chegar a Rodoviária Novo Rio. E lá estava o Alberto velho de guerra. Mais velho, eu vi; e mais guerreiro, presumi. Precisava que eu o levasse a São Paulo. Perfeitamente, mas amanhã. Necessitava preparar o carro, fazer uns arranjos no escritório e avisar a secretaria da Faculdade que não daria minha aula. Alberto ficaria em minha casa por uma noite e lá pelo meio-dia poderíamos tomar o rumo de São Paulo.

Na viagem, contou-me um pouco de sua vida. Com a morte dos pais (não falou da tragédia, mas verifiquei que apertava nervosamente as mãos) e já formado, resolvera fazer residência num hospital de sua terra natal, Rosário, tomando o caminho inverso dos colegas de lá que procuravam a capital para a primeira especialização. Trabalhava em um hospital público e mantinha consultório numa zona da periferia para atender os mais pobres. Ia tocando a vida. E os tangos? Cultivando sempre. E satisfeito porque o talento de Piazzola era agora reconhecido no mundo inteiro. E Gardel, como eu não deveria ignorar, cantava cada vez melhor. O mesmo se dava, disse eu, com o nosso Orlando Silva: cada dia que passa sua voz dos primeiros tempos ainda mais se apura. Sobre Cuba não falou nada. E nem perguntei. Nessa atividade, perguntas não são bem-vindas.

À noitinha, chegamos a São Paulo e nos dirigimos à rua que abrigava o bar onde iria encontrar quem procurava. A rua ficava no centro e não foi difícil encontrá-la; nem o bar. Entramos. Uma porta de vaivém abria-se para uma sinuca. No fundo dela, um grupo de homens jogava em mangas de camisa. Não conhecia qualquer deles, mas minha atenção foi despertada por um que me apertou as mãos como se já tivesse feito o gesto mais de uma vez. Não era apenas um forte aperto de mão, comum entre companheiros que sabem depender da solidariedade para viver e por isso dão alto valor a pequenas coisas como um aperto de mão, que no simples da vida não se repara. De altura mediana, nem jovem nem velho, nem gordo nem magro, cabeça e barba raspados, apenas os olhos claros chamavam a atenção. Pareciam febris e, ao mesmo tempo, calmos. Deixei-o com a sensação de que não sabia quem era, mas tinha certeza de conhecê-lo. Abracei Alberto com o sentimento de que não mais o veria. Retive na memória seu gesto acenando na porta do bar enquanto eu me afastava. Nunca mais o vi.

VI

Como sempre, hospedei-me com Geraldo. Saboreei sua conversa e apreciei a carne assada com molho de ferrugem acompanhada de uma farofa com pouca farinha, muita cebola, muito ovo e, como arremate, uma salsinha para deixar na boca o gosto do céu.

Também, como sempre, passamos em revista a conjuntura política, além de recordarmos a inóspita, porém hospitaleira La Paz; os amigos que lá deixamos, os que se espalharam pelo mundo na diáspora imposta pela ditadura. Comuna velho, Geraldo não fazia fé na guerrilha, era aventura cabeluda. Também não dava ponto para o trabalho de Frente Ampla. Qual, a ditadura ainda ficaria por muito tempo; só a ruptura entre os militares e os grandes empresários sustentáculos do regime é que abriria caminho para a redemocratização. Americanos e soviéticos haviam acordado com relação às respectivas áreas de influência. A posição cubana era de desespero. Lênin também achava que a permanência da revolução bolchevique dependia de outras revoluções na Europa desenvolvida. Não deu e Stalin teve de cavar trincheiras em seu próprio território. Cuba dependia da solidariedade internacional e da ajuda soviética. Essa posição guerrilheira em nada a ajudava. Para sobreviver, Cuba teria de recuar e compor-se com a política das grandes potências.

A conversa estava boa, a comida supimpa, mas eu permanecia inquieto. Desassossego que não passou desapercebido ao amigo. É que fiquei invocado com um cara que conheci hoje, ou que hoje revi, não sei. Contei por alto, como convinha e Geraldo sabia, a viagem e o encontro na sinuca; a impressão que me ficara de um dos companheiros. E como se eu jamais tivesse visto o cara mas identificasse seu aperto de mão e sobretudo seus olhos:

— Febris e calmos, seu Geraldo, como e que pode?

VII

Passam-se alguns meses e leio nos jornais a eclosão da guerrilha na Bolívia. Uma luz se acende em minha mente. Como o *flash* de uma máquina fotográfica que retardou seu clarão.

Foi o Che que eu vira no fundo do bar em São Paulo.

(Do livro *O sapato de Humphrey Bogart*)[9]

[9] Cerqueira, 2001.

Calendário

À Sônia Paiva

Sim, eu sei que é uma troca de calendário a inauguração de um ano novo. Repetição do anterior, que repete o que sucedeu e, assim, sucessivamente até o fim dos tempos. Mas é também a oportunidade de se renovarem votos de felicidades, saúde e paz.

Uns profundos outros não tão fundos.

Todos votos, enfim. De mim, espero a passagem do ano com alguma ansiedade, pois aborreço com o Natal, depois que perdi minha mãe — não consegui compreender o Natal sem ela; perdera o sentido. Até então, apenas um Natal não passara em nossa casa em Grajaú. Estava exilado em Santiago do Chile. Fazia calor. Rogério, chamado *Senador*, e eu tomamos uma *"liebre"* à altura de Agostinas y San Mártin, onde dividíamos um *amoblado chico*, e fomos, lampeiros, à casa amiga de Paulo Alberto Monteiro de Barros, na *calle* Emilio Delporte (*por Manoel Mont, pasado Bilbao, cuatro quadras a la izquierda*); passamos o Natal com ele e com a colônia de expatriados. Natal longe da pátria e longe dos meus. Mas Natal, enfim. E com Paulinho tudo era supinamente bom. Mas sem mamãe era um arremedo. Não quero ser ingrato com quem tão bem nos acolheu, mas sem mamãe... (Uma saudade doendo). Mesmo a presença da meiga Lucía, linda *santiaguenha* (que acaba de me enviar *saludos* de ano-novo por e-mail da Suécia), não afastou a saudade.

Pois, aqui, vão meus votos de um ano de saúde e paz. E sempre a esperança — companheira do amanhã — que o próximo ano não nos reserve desagradáveis surpresas. Perdão, leitores, mas não posso deixar de supor que a crise sistêmica que abala o capitalismo não venha bater em nossas praias, embora mitigada, como espero. É que os capitalistas sôfregos abusam sempre e os pagantes são os despossuídos da terra.

Outro dia, um estimado ministro deu um despacho na Suprema Corte, em uma ação cabeluda, com empréstimo de versos do nosso Paulinho da Viola: "Faça como um velho marinheiro/ Que durante o nevoeiro/ Leva o barco devagar."

Mas não quero deixar a impressão de um desalento que nunca me dominou. Quero deixar, fraterno, uma mensagem de muita felicidade.

Votos com os quais embarco nessa nau feliz.

E o ensinamento sábio do filósofo Millôr Fernandes:

"A bebida tomada com moderação não faz mal, ainda que em grandes quantidades!"

Haja bem.

(Natal 2011/ Ano Novo 2012)

Santiago do Chile

À Jacqueline Pertuiset, Lucía Briones
e Rogério Monteiro, chamado *Senador*.

Como posso descrever Santiago do Chile na primavera do ano 1964? Vinha eu da Bolívia e, por incrível que pareça, bafejado pelo golpe do general Banzer. Antes, por conta dos serviços secretos dos Estados Unidos e da Bolívia (esta, coitada, dependente), não me deixavam sair de La Paz. Já tentara e fora preso na fronteira com a Argentina (La Quiaca com Villázón) e voltei a La Paz, de trem em quatro noites, devidamente algemado. Já contei o episódio alhures (faz tempo queria escrever *alhures*). Com o golpe, me mandei para El Alto, com a pequena bagagem que tinha e tomei de susto um Caravelle, que fugia dos tiros e acabou em Arica: *aventura no más*.

Quero dizer que não desdenho La Paz e nem a solidariedade do governo e do povo boliviano, que nos acolheram depois do golpe no Brasil. Mas, viver a mais de 4 mil metros de altura, convenhamos, não é fácil.

Bom, vou pular muitos sucessos na acolhedora Santiago, com suas praças tão floridas e moças graciosas e também floridas. Uma pequena nota: a Orquestra Sinfônica de Santiago tocava às quintas nas praças da cidade. Era só chegar e ouvir.

Certo dia, com Paulo Alberto e Rogério, chamado *Senador*, fomos a Valparaíso para uma espécie de Congresso. Thiago de Mello era ainda adido cultural do Brasil e comprara um Mercedes, que nos emprestou e no qual nós chegamos a grande estilo. À noite, fomos a uma pequena *boite* de classe média. Como uma aparição, chegou-nos a cantora, uma linda *cantante*. Alta, falsa magra, voz maviosa, acabou na mesa conosco e se confessou paulista em temporada no Chile. A cumplicidade era tão grande que os amigos, pretextos vários, se afastaram, e ficamos a nos olhar; eu, como quem olha uma estrela; ela, não eu saberia dizer. Omito o continuado.

Já de volta ao Brasil, ano depois, vivia em uma semiclandestinidade em São Paulo e numa pequena *boite* a reencontro. Difícil relatar a emoção, pois me faltam letras, palavras que formem assombro, deleite, admiração, gozo intenso da vida. Deus meu: que cintura, e não digo mais.

Passados tantos e tantos anos, eu a vejo no fundo do meu pensamento: será saudade?

(1964/ 2013)

*Vuelvo al Sur,
como se vuelve siempre al amor,
vuelvo a vos,
con mi deseo, com mi temor,
Llevo el Sur,
como um destino del corazon,
soy del Sur,
como los aires del bandoneon.*

(Astor Piazzolla)

Pelas ruas de Buenos Aires

Ando pelas ruas de Buenos Aires — como andava no ano de 1965 —, as ruas são as mesmas, largas que são; mas não encontro meu "ponto" na *calle* Esmeralda; memória tardia? Ou restos de um final que não posso — ou talvez não queira — lembrar, já que *la pareja* que me hospedou, ambos dentistas, se matou (...) — como me contaria Marighella anos depois —, e o filho, depois formado em medicina, praticou em Rosário, e na sequência, se uniu à guerrilha *del Che*, onde marcou encontro com a morte, não sem antes hospedar-se em minha casa em Grajaú e eu próprio levá-lo de carro a São Paulo, onde se uniu ao grupo que se reunia em um bilhar com porta de vai e vem. Um deles, de olhar *claro y penetrante y despelado*, me *saludó* como se me *conocera* de antes. Depois da descoberta da guerrilha, me *pregunté*: seria *el Che*?

Por que dela súbita e irremediavelmente me lembrei? Menos que uma menina, as pernas altas como uma ave (pernalta); já uma moça, as coxas roliças teimando em sair da saia plissada; mulher — e que sonho de mulher! — que perdi em alguma curva do caminho; mas que lamento tardio, se fiz (eu próprio e mais ninguém) meu caminho a caminhar.

Por onde andará a vivente, se vive? E será que se lembrará do menino, do moço, do amor não declarado, mas suspeitado?

Melhor dirão os astros nesta noite portenha.

Mas sem estrelas.

(Buenos Aires, primavera de 2011)

CAPÍTULO 6

Advogados em luta pela democracia

O advogado é o único senhor de sua pessoa
Tô qualificando
Conselheiro, o senhor bebe?
A Terra é da Santa
Seu Manoel João
Um incerto Coronel
Caminhos que se cruzam
O sapato de Humphrey Bogart

Marcello começou a advogar, literalmente, em causa própria, a partir de 1965, defendendo-se em diversos Inquéritos Policiais Militares (IPMs) nos quais foi indiciado em função de sua militância política. E deu certo, apesar das arbitrariedades da época. Ele conseguiu ser absolvido nos IPMs sobre sua participação em instituições marcadas por atividades "subversivas", como o Partido Comunista Brasileiro, a Rádio Mayrink Veiga — onde havia trabalhado como locutor —, o Sindicato dos Metalúrgicos e o Seminário da Amazônia, organizado pela UNE, em Manaus. Ganhou experiência, entrou em contato com outros advogados e com familiares de presos políticos (muitos eram seus conhecidos desde o tempo de militância estudantil) e dedicou-se ao trabalho de advocacia política.

Esse passo decisivo em sua trajetória profissional aconteceu sem que ele tivesse previsto ou planejado. A conjuntura da época — a suspensão das garantias constitucionais, as perseguições políticas, as prisões arbitrárias —, as circunstâncias de vida, especialmente o fato de estar respondendo a diversos inquéritos na Justiça Militar quando retornou do exílio em 1965, levaram-no a ingressar no trabalho de advocacia política. Não sem dificuldades. A seccional da OAB no estado da Guanabara negou a inscrição de Marcello, que acabou conseguindo se inscrever em Niterói, então capital do estado do Rio de Janeiro.

Atuou em cerca de dois mil processos entre os anos de 1968 e 1978.[10] "A Fundação Getúlio Vargas me atribui mil (processos), mas isso não inclui apelação e *habeas corpus*. Não sei. Fiz a minha parte", comenta ele.[11]

Sem cobrar honorários, defendeu artistas e intelectuais conhecidos, como Darcy Ribeiro, Anísio Teixeira e Leila Diniz, e mais de mil militantes anônimos. Havia uma caixinha para cobrir gastos com

10 Sá; Munteal; Martins, 2010, p. 161.

11 Spieler; Queiroz, 2013.

deslocamentos, mantida por famílias dos presos políticos e simpatizantes da causa, que contribuíam voluntariamente. Esse recurso era utilizado principalmente nas viagens dos advogados a Brasília, para sessões no Superior Tribunal Militar.

Marcello não esteve sozinho nessa jornada: ele fazia parte de um grupo de advogados, com Sobral Pinto à frente. Recorda-se com satisfação da convivência diária, por dez anos, com o dr. Sobral (ver, no Capítulo 8, "Incêndio na churrascaria"): "Ele ia ao Superior Tribunal Militar e apresentava *habeas corpus* contra as autoridades de terra, mar e ar".[12]

12 Sá; Munteal; Martins, 2010, p. 162.

Marcello aponta o espírito de cooperação e a disponibilidade para o exercício de uma espinhosa missão, que exigia muitos sacrifícios, como características marcantes que uniam os advogados na defesa de presos políticos. Considera que Modesto da Silveira, falecido em 2016, foi o mais sacrificado de todos eles, por ser o único que se dedicava exclusivamente a essa atividade, tendo sido responsável pela defesa de inúmeras causas.

Havia um bom entendimento entre os advogados comprometidos com essas causas, inclusive fora dos tribunais, avalia Marcello. Não raro colaboravam um com o outro, por um objetivo comum, como ocorreu no dia de um julgamento em que Modesto lhe telefonou avisando que não poderia ir, pois estava evacuando sangue. "Liguei para o saudoso Adão Pereira Nunes, médico do partido, meu cliente", recorda ele. "Falou para o Modesto se deitar, que estava chegando com uma ambulância. Fomos para o hospital, uma clínica em Botafogo. Eu fiz uma transfusão de sangue direta com o Modesto."[13]

13 Spieler; Queiroz, 2013.

Em outro julgamento, na cidade de Cachoeiras de Macacu (RJ), Marcello relata a situação surrealista enfrentada pelos advogados que foram defender seus clientes e o desfecho inusitado da audiência:

> O delegado estava de olho na mulher do farmacêutico, que não tinha nada a ver com os presos, que eram na

verdade militantes mesmo, ocupavam terras. Ele colocou o farmacêutico no IPM. E havia provas! Só não havia contra o farmacêutico. Era um conjunto harmônico de advogados. Mas apareceu este cidadão, meio acaboclado. [...] Pediu para não falar por último. Porque geralmente quem falava em primeiro lugar era o doutor Sobral. Quem falava por último era o Modesto ou eu. Ele subiu e disse a seguinte barbaridade: "Olha, egrégio tribunal, eu não vim aqui para defender o farmacêutico fulano de tal, que foi envolvido neste processo por razões lamentáveis, pois o delegado cortejava a mulher dele, então mandou prendê-lo. Eu sou de lá, eu sei que todos são comunistas mesmo." Era um estrago, ficamos indignados. E continuou: "Acontece que eu sou pastor e o farmacêutico é do meu rebanho. Agora, eu não posso pedir a absolvição dele sem pedir a absolvição de todos, pois Deus assim quer."

Aí pronto. Foram para a sala de sessão secreta e o presidente proclamou o resultado: três a dois pela absolvição. Perplexidade! Era comum cumprimentarmos os juízes. Um tenente em particular gostou muito, achou que fui eloquente, mas não o convenceu não. "O voto que decidiu pela absolvição foi o meu, e eu votei porque sou batista, e como o pastor pediu." É inacreditável! Isso na 2ª Auditoria do Exército. Incrível![14]

14 Spieler; Queiroz, 2013.

Marcello destaca a diversidade do grupo de advogados. Não havia uma técnica ou linha única de defesa. Havia personalidades, grandes advogados, cada um atuando de acordo com o seu temperamento:

> George Tavares era um homem explosivo. Dr. Sobral era incontrolável, fazia defesas de denúncia. Evaristinho era sereno. Heleno Fragoso era um técnico, um professor.

O Técio foi um "contraventor": assomava a tribuna sendo estagiário, o que a lei não permitia. Rapaz inteligente. Muito bom advogado.[15]

A estratégia adotada por ele era política:

> Meu cliente só ia para a Auditoria depois da tortura. Ele era liberado da tortura para ir para a Auditoria. O ar ficava tão carregado que a impressão que eu tinha é que você podia cortar em blocos. Os militares não estavam preparados para aquela demanda.[16]

Para Marcello, a atuação de Heleno Fragoso representou um salto de qualidade nas defesas de presos políticos. Ele era um mestre, uma referência que garantia consistência às defesas. Fragoso era um estudioso do Código Penal italiano elaborado no governo de Mussolini — conhecido como Código Rocco — que serviu de modelo para a elaboração do Código Penal brasileiro, promulgado em 1941 e em vigor desde então.[17]

A defesa técnica se divide em duas fases na história da advocacia política brasileira: antes e depois do Heleno Fragoso.

> Ele aportava à advocacia um dos ventos que nós não tínhamos, vinha com uma doutrina, um conhecimento que nós não tínhamos. Do ponto de vista técnico da defesa, ela evoluía, pois obrigou os auditores a estudar um pouco mais e até o STM. Ele movimentou a advocacia. E, por seu turno, recebeu nossa contribuição democrática libertária.[18]

Muitos outros bons advogados fizeram parte desse movimento. Humberto Jansen, colega de escritório de Marcello Cerqueira durante oito anos, é certamente um deles. Secretário político da base do PCB, coordenava o partido nessa área jurídica e participou de alguns processos.

---

[15] Sá; Munteal; Martins, 2010, p. 162.

[16] Spieler; Queiroz, 2013.

[17] Sá; Munteal; Martins, 2010, p. 162.

[18] Spieler; Queiroz, 2013.

Outro nome que merece destaque é Rosa Maria Cardoso da Cunha, que iniciou carreira com Modesto da Silveira. Advogada da prisioneira política Dilma Rousseff nos anos 1970, foi nomeada em 2012, pela então presidente da República, para integrar a Comissão Nacional da Verdade, criada pela Lei 12.528/2011 com a finalidade de apurar graves violações de Direitos Humanos ocorridas entre 18 de setembro de 1946 e 5 de outubro de 1988.[19]

19 Spieler; Queiroz, 2013.

Enfrentando a arbitrariedade

O Ato Institucional número 5, baixado em 13 de dezembro de 1968, durante o governo do general Costa e Silva, marcou o início do período mais repressivo do regime militar e tornou ainda mais difícil para os advogados o exercício da defesa dos presos políticos. Entre as principais medidas cerceadoras, a ditadura suspendeu a prerrogativa do *habeas corpus* para libertar prisioneiros. Marcello lembra que, por sugestão do professor Cândido Mendes, decidiu continuar recorrendo a esse instrumento mesmo assim. "Deixa o Tribunal decidir", disse ele, quando vários estudantes universitários estavam presos e precisavam ser localizados. Descobriu-se, assim, uma nova utilidade para o *habeas corpus*, como se pode ver no conto "O sapato de Humphrey Bogart", que faz parte do presente capítulo. Abolido pelo AI-5, o *habeas corpus* não soltava, "mas a autoridade coautora, ao responder que o preso não tinha direito à medida, revelava sua prisão", escreve ele no citado conto, que se baseia em fatos reais. Assim foi possível identificar e localizar presos incomunicáveis, o que salvou muitas vidas.

O próprio Marcello foi vítima da nova onda de arbitrariedade, ao ser preso quando foi libertar uma cliente que estava hemiplégica (paralisia que atinge um dos lados do corpo) por causa das torturas sofridas. Ao chegar no Comando do I Exército para carimbar o alvará de soltura, ele recebeu voz de prisão do então Coronel Coelho Neto. "O senhor trouxe o alvará, não é? O seu preso sai, o senhor fica."[20] Ficou.

20 Spieler; Queiroz, 2013.

Em 1976, já no período de distensão do regime, popularizado pelo presidente Ernesto Geisel como um processo "lento, gradual e seguro", Marcello distribui uma carta à imprensa para denunciar as torturas sofridas por seu ex-colega dos tempos da UNE, Aldo Arantes, detido em São Paulo sob a acusação de ser dirigente do Partido Comunista do Brasil (PCdoB). Arantes havia escapado com vida do ataque da repressão à reunião do comitê central do PCdoB, em São Paulo, no episódio que ficou conhecido como "a chacina da Lapa". A carta, noticiada primeiramente por Elio Gaspari, tornou-se um marco histórico, por ser a primeira denúncia formal de tortura publicada em veículos de comunicação, em pleno período de arbítrio.[21]

21 Gaspari, 2014, p. 174.

Quando o caso foi noticiado pela imprensa com seu nome e sua foto, Marcello foi "descoberto" pelos agentes do Serviço Nacional de Informação (SNI) que atuavam no BNDE (atual BNDES), onde ele trabalhava. Acontece que, no emprego, estava registrado com seu nome completo, Marcello Augusto Diniz Cerqueira, enquanto na advocacia política usava apenas Marcello Cerqueira, como faz até hoje. Anos depois, ele relembraria mais essa arbitrariedade em seu livro *Memorial — quase uma autobiografia*:

> Um diretor chamado Abade opera a minha demissão, através de outro diretor, que, mais tarde, quando reuni documentos para requerer minha anistia, se recusou a certificar o ocorrido, negando o testemunho da verdade. Não me recordo do seu nome, ou dele não me quero lembrar, mas a mim não faltou a declaração altiva dos engenheiros Marcos Vianna, antigo presidente do BNDES e Roberto Procópio de Lima Neto, exatamente o diretor que me contratara.[22]

22 Cerqueira, 1994, p. 13.

Ditadura começa a naufragar

Na manhã de 25 de outubro de 1975, o então diretor de jornalismo da TV Cultura, Vladimir Herzog, apresentou-se espontaneamente à sede do DOI-CODI, em São Paulo, depois de ter sido procurado por dois agentes para prestar depoimento sobre suas supostas ligações com o Partido Comunista Brasileiro. Poucas horas depois, um perito do Instituto Médico Legal foi chamado para fotografar o que afirmavam ser uma cena de suicídio: o preso teria amarrado uma tira de pano em seu pescoço para se enforcar, pendurado na grade de uma janela. Vários detalhes da cena evidenciavam uma fraude, a começar pelo fato de que o suposto suicida era mais alto do que a grade onde deveria estar suspenso. A tenacidade de Clarice, esposa de Vlado, contra os esforços das autoridades para distorcer os fatos e encerrar o assunto, levou ao total esclarecimento do episódio, reforçado mais tarde pelo depoimento de outro jornalista, Sergio Gomes, que estava preso no local, e que escutou os gritos, os ruídos da tortura, o súbito silêncio e a montagem apressada do cenário.

Menos de três meses depois, em janeiro de 1976, apareceu no mesmo local outro preso "suicidado": o operário Manoel Fiel Filho, que teria praticado "autoestrangulamento" com uma meia. Mais uma vez, as tentativas de arquivamento do inquérito com base em uma história forjada, contra uma série de evidências, a corajosa luta da esposa Thereza e o empenho de setores da sociedade civil — como a Arquidiocese de São Paulo, na figura de dom Paulo Evaristo Arns —, para que o crime fosse esclarecido.

Desde a morte de Herzog, o presidente da República, general Ernesto Geisel, vinha alertando o comandante do II Exército, general Ednardo D'Ávila Mello, para que tais ocorrências não se repetissem. O segundo assassinato em três meses foi a gota d'água: irritado e preocupado, Geisel convocou o ministro do Exército, Sylvio Frota, o chefe do SNI, João Figueiredo, e o chefe do Gabinete Militar, Hugo Abreu, determinando a exoneração do comandante do II Exército e do chefe do Centro de Informações do Exército (CIE), entre outras mudanças que praticamente desmantelaram o aparelho de comando da tortura em São Paulo.

No ano seguinte, o próprio ministro do Exército, Sylvio Frota, seria também demitido. Líder da linha-dura do regime militar brasileiro, ele pretendia candidatar-se à presidência, mas Geisel escolhera o general João Baptista de Oliveira Figueiredo como sucessor. Em meio a rumores de estremecimento com o presidente, Frota foi exonerado. Retirou-se da vida política, voltando ao noticiário quando criticou acidamente a Lei da Anistia, promulgada por Figueiredo em 1979.

Os advogados de presos políticos passam a ser pouco solicitados à medida que o regime de exceção se enfraquecia,[23] na sequência de fatos historicamente marcantes como as mortes de Herzog e Manoel Fiel Filho, e a queda dos militares mais radicais, como o comandante do II Exército e o ministro do Exército.

Já na Nova República, em 1989, Marcello voltou a se defrontar com a estrutura da Justiça Militar, desta vez como advogado de acusação contratado pelas famílias das vítimas do trágico naufrágio do navio turístico *Bateau Mouche*, no *réveillon* de 1988, que matou 55 pessoas na Baía de Guanabara. O processo se desenrolou na justiça comum e na Auditoria da Marinha do Brasil, uma vez que a Capitânia dos Portos era ré. Durante o processo, Marcello precisou impetrar uma "correição parcial" junto ao Superior Tribunal Militar para corrigir as imperfeições e os desvios corporativistas do processo na Marinha. O processo criminal resultou na condenação dos proprietários da embarcação, enquanto a Auditoria sentenciou um tenente e um cabo. Desta experiência, resultou o livro *Bateau Mouche: o naufrágio do processo*.[24]

[23] Cerqueira, 1994, p. 14.

[24] Cerqueira, 1994b, pp. 25-26.

Prova final

Em 1963, durante o governo de João Goulart, Marcello estudava na antiga Faculdade de Direito de Niterói, atual Universidade Federal Fluminense, e era vice-presidente da UNE, que se manifestou com veemência contra a indicação de um professor para a reitoria. Tratava-se de Álvaro Sardinha, que havia encabeçado a lista tríplice para indicação ao cargo. Coube a Marcello pedir ao Ministério da Educação que não o indicasse para a posição de reitor, pois aquele professor era um ex-integralista. O governo Jango acatou o pedido da UNE e o nome escolhido foi o segundo da lista tríplice, o professor Deoclécio Dantas Araújo.

Quando voltou do exílio, em 1965, Marcello Cerqueira dedicou-se à conclusão do seu curso na mesma Faculdade. Aprovado em quase todas as disciplinas, precisava ainda fazer uma prova oral de recuperação em direito penal. O problema é que o titular dessa disciplina era exatamente o professor Sardinha. Seria dele a nota decisiva para Marcello conseguir seu diploma. O estudante foi para a prova final muito apreensivo com a possibilidade de retaliação. Afinal, o "veto" da UNE tivera profundo impacto pessoal para Álvaro Sardinha, que não escondia de ninguém o desejo de ser reitor, ápice da carreira universitária.

No dia da prova, Marcello pegou o trólebus na estação das barcas em Niterói e foi para o campus. Guardou a passagem de volta (uma ficha) entre o relógio de pulso e a pele. Quando foi sortear o tema da prova oral, o professor Sardinha lhe perguntou: "O que é isso em baixo do seu relógio?" O estudante estava preparado para a prova, mas não pôde esconder seu nervosismo ao responder que aquilo era apenas uma ficha do ônibus. "Que crime o senhor cometeu?", retrucou o mestre ao percebê-lo tenso. "Nenhum", disse Marcello sem hesitação. "Perfeitamente", falou o professor, emendando: "O senhor está aprovado, pode ir embora". Para o jovem formando, esse episódio foi uma lição de vida, um exemplo de integridade acima das posições ideológicas.[25]

25 Cerqueira, 1994b, pp. 10-11.

Atividade incessante

No início de sua carreira como advogado, paralelamente às primeiras causas como defensor de presos políticos, Marcello passou a trabalhar no escritório do advogado José Leventhal. Seu antigo parceiro de exílio, Paulo Alberto, mais conhecido pelo pseudônimo Artur da Távola, insistiu muito para que ele viesse a cursar o Centro de Estudos e Pesquisas do Ensino do Direito (Ceped/FGV/UEG). Paulo Alberto namorava Ana Cristina, filha do professor Anísio Teixeira, que proclamava a excelência do curso, assim como o professor Cândido Mendes, que também estimulou Marcello a ingressar no Ceped.

A morte do brilhante educador Anísio Teixeira, caído no poço de um elevador, em 1971, tema do texto "Os caminhos e o sopro" (Capítulo 4), é lembrada por Marcello como uma das mais dolorosas passagens de sua vida:

> Certo dia, doutor Anísio sumiu. O julgávamos preso, sequestrado pela repressão. Em seu favor, impetrei ordem de *habeas corpus* junto ao Superior Tribunal Militar, inutilmente. Doutor Anísio havia morrido em circunstâncias trágicas em um acidente banal. Reconheci-lhe o corpo e assisti à sua autópsia. Depois, em nome da família, acompanhei a sindicância policial que concluiu por morte acidental.[26]

26 Cerqueira, 1994b, p. 12.

Luís Viana Filho, em sua biografia de Anísio Teixeira, narra quase ao final do livro: "O advogado Marcello Cerqueira, criminalista conceituado, acompanhou o inquérito para apurar os pormenores da tragédia que ninguém presenciara, e sobre a qual dúvidas se alastravam. Concluiu-se haver sido em acidente. Uma armadilha do destino."[27]

27 Viana Filho, 1990, pp. 204-205.

"Segui o último dos conselhos do doutor Anísio e avancei na profissão", conta Marcello. A especialização no Ceped, tão aconselhada pelo amigo que se foi, propiciaria mais adiante a sua contratação como advogado do Banco Nacional do Desenvolvimento Econômico, de 1975 a 1994, e consultor jurídico da Ibrasa/BNDES/BNDESpar em 1976 e 1977.

Em 1985 e 1986, durante o governo de José Sarney, Cerqueira foi consultor jurídico do Ministério da Justiça junto ao amigo Fernando Lyra, então ministro, companheiro do PMDB. Ainda em 1986, atuou como consultor jurídico do Ministério da Previdência Social. Sua participação em órgãos do governo federal teve prosseguimento no governo Itamar Franco (1992-1994), quando ele ocupou o cargo de procurador-geral do Instituto Nacional de Colonização e Reforma Agrária (Incra) e, em seguida, a procuradoria-geral do Conselho Administrativo de Direito Econômico (Cade). Durante quase oito anos ocupou a Procuradoria-Geral da Assembleia Legislativa do Estado do Rio de Janeiro (Alerj). E passou a integrar, em 1996, a Comissão de Estudos Constitucionais do Conselho Federal da Ordem dos Advogados do Brasil (OAB), como membro titular.

Sua atuação política continuou intensa nos anos seguintes. Em 1997, participou ativamente da campanha contra a privatização da Companhia Vale do Rio Doce. Representando diversos sindicatos, foi autor de dezenas de ações impetradas na Justiça Federal contra a venda da empresa, além de ter subscrito uma ação popular em nome do presidente da Associação Brasileira de Imprensa (ABI), Barbosa Lima Sobrinho, que contou com o apoio dos partidos de esquerda e de várias entidades da sociedade civil. Apesar de ter conseguido barrar o leilão em duas oportunidades, a oposição não conseguiu impedir a venda da mineradora, consumada em maio de 1997, no governo de Fernando Henrique Cardoso.

Nos anos 2000 a 2002, como presidente do Instituto dos Advogados Brasileiros (IAB), criou o Instituto Virtual, que permitiria ao público interessado participar, via internet, das discussões do instituto em tempo real. Obteve o apoio da Lei de Incentivo Fiscal à Cultura para o seu projeto de reforma, modernização e recuperação de todo o acervo bibliográfico, museológico e fotográfico. E liderou a reforma do estatuto do IAB, que promoveu a modernização da gestão administrativa, antes concentrada na figura de alguns diretores, que tornou possível à entidade entrar com Ação Direta de Inconstitucionalidade junto ao Supremo Tribunal Federal.

Em 1992, a TV Globo exibiu a minissérie *Anos rebeldes*, que teve como pano de fundo o Rio de Janeiro, no período de 1964 a 1979, e abordou a luta contra o regime militar brasileiro a partir de uma história de amor entre dois jovens com projetos de vida diferentes. A exibição de *Anos rebeldes* teve grande audiência em todo o país e contribuiu para que a juventude cara-pintada fosse às ruas pela deposição do então presidente Fernando Collor de Mello. Os autores da minissérie, Gilberto Braga e Sérgio Marques, inspiraram-se em Marcello Cerqueira para compor o personagem do advogado defensor dos presos políticos. "Fui eu como poderia ser, com muito mais razão, qualquer dos colegas", comenta ele. "As entrevistas giravam em torno das pessoas importantes que eu defendera. É claro que eu não podia sonegar-lhes os nomes mais conhecidos. Mesmo a história dos perseguidos é tomada a partir dos mais importantes, embora o sofrimento a todos tenha sido comum, inclusive aos seus patronos."[28]

28 Cerqueira, 1994b, p. 14.

(G.B.)

O advogado é o único senhor de sua pessoa

Triste o Estado em que os advogados devem ser heróis para executar seu labor!

(Antonio Evaristo de Moraes Filho)

Competência. Entre muitas, escolhi essa qualidade no Evaristinho para iniciar minha modesta contribuição à obra que, em boa hora, queridos amigos organizam em sua Memória. Coube-me lembrar sua atuação na Justiça Militar durante a ditadura, especialmente nos seus anos de chumbo em que o flagelo da exceção privou até do *habeas corpus* os incursos na Lei de Segurança Nacional impondo aos advogados insuportável redução do seu campo na defesa dos perseguidos. E de seu próprio. Logo após a edição do AI-5, já na vigência do Decreto-lei nº 510, promulgado no consulado Costa e Silva, que agravou as penas antes estabelecidas no Decreto-lei 314/67, especialmente aquelas relativas aos delitos de organização e propaganda subversiva, além de cercear o direito de defesa e permitir ao encarregado do IPM determinar a prisão cautelar do acusado agravada por rigorosa incomunicabilidade não inferior a dez dias, alguns dos advogados de presos políticos fomos presos. Além da prisão, Evaristo teve sua casa e seu escritório invadidos. Mas não se deixou intimidar. Imediatamente após sua libertação, defendeu acusados perante a 2ª Auditoria do Exército.

Essa passagem vai narrada nas palavras iniciais que introduzem o leitor ao seu livro *Um atentado à liberdade*, publicado pela Zahar Editores em 1982, com prefácio do também saudoso Sobral Pinto. "Dessa experiência prisional", lembra o homenageado, "não guardei mágoas. Recolhi-a como uma medalha, a que fiz plenamente jus: a honra de pagar, com a própria liberdade, o crime de defender meus semelhantes, e de defendê-los, juntamente com o bravo companheiro George Tavares, seguindo o exemplo do mestre Sobral Pinto, sem estar animado por interesses materiais, pois sempre entendi que este tipo de ministério constitui para o advogado um dever cívico..."

O livro *Um atentado à liberdade* reúne alguns dos seus pronunciamentos: "Criminalidade política" (conferência no Instituto dos Advogados Brasileiros, em setembro de 1978); "Reforma da Lei de Segurança Nacional" (parecer ao IAB, em novembro de 1978); "A prisão cautelar na Lei de Segurança Nacional" (proposta apresentada à VIII Conferência Nacional da OAB, em maio de 1980); "A reforma da Lei de Segurança Nacional vigente" (parecer à Comissão instituída pelo Conselho Federal da OAB para examinar a Lei de Segurança, em abril de 1981); "Em defesa da liberdade da advocacia" (pronunciamento à V Conferência Nacional da OAB, em agosto de 1974); e "Descriminalização da greve" (tese à IX Conferência Nacional da OAB, em maio de 1982).

Quem conviveu com o dr. Sobral sabe não ter sido ele pródigo em elogios, mas não causa espanto que não poupe louvores à atuação de Evaristo como criminalista, sobretudo na esfera da Justiça Militar. Apoiado em boa erudição, como diz, de leitura agradável e útil, em que ressalta sua rica experiência pessoal, arremata dr. Sobral: "Pelas referências que me permiti fazer das teses defendidas ou repelidas por Evaristo de Moraes Filho nos estudos ora divulgados em livro, e pelas apreciações por mim feitas a respeito da linguagem e do estilo adotados nessas defesas e nessas repulsas, verifica-se o brilho, a elegância e o mérito da atuação do autor no exercício de sua profissão. Os trabalhos ora divulgados constituem inteligente, nobre e útil contribuição, em nossa terra, ao conhecimento e à defesa dos direitos da pessoa humana." Com insuperável autoridade moral e com permanente e incansável dedicação à defesa dos presos políticos desde a impropriamente chamada Intentona Comunista, ninguém melhor do que Sobral Pinto para traçar o perfil do prefaciado.

O primeiro contato de Evaristo com o chamado crime político deu-se no ano de 1960, quando proferiu, sobre o tema, conferência na antiga Faculdade de Direito do Catete, ocasião em que acentuou apenas poder trazer sobre a matéria produto de estudos meramente teóricos. Formado há apenas cinco anos, não tivera ainda qualquer caso de defesa de crime político no quinquênio do exercício profissional entre os anos de 1955 e 1960, anos que coincidem com o governo de plenas garantias democráticas do presidente Juscelino Kubitscheck e onde se registram somente as rebeliões de Jacareacanga e Aragarças e, na sequência, a anistia concedida aos golpistas.

O golpe de 1964 coroa a longa sucessão de golpes de Estado que se iniciaram em 1937. Compare-se o texto da Carta de 1937 com o seu sucedâneo Ato Institucional nº 1: "A iniciativa dos projetos de lei cabe, em princípio, ao Governo. Em todo o caso, não serão admitidos como objeto de deliberação projetos ou iniciativas de qualquer das Câmaras, desde que versem sobre matéria tributária ou que de uns e de outras resulte aumento de despesa" (Art. 64 da Carta de 1937); "Caberá, privativamente, ao presidente da República a iniciativa dos projetos de lei que criem ou aumentem a despesa pública;

não serão admitidas, a estes projetos em qualquer das Casas do Congresso Nacional, emendas que aumentem a despesa proposta pelo presidente da República" (Ato Institucional). Redator de ambos, Francisco Campos apurou redação na segunda tábua de castigos. Naturalmente, o Poder Judiciário iria, também, sofrer restrições à sua ação. Na Carta de 1937: "É vedado ao Poder Judiciário conhecer de questões exclusivamente políticas" (Art. 94); no Ato Institucional: "Ficam suspensas, por 6 (seis) meses, as garantias constitucionais ou legais de vitaliciedade e estabilidade. (...) O controle jurisdicional desses atos limitar-se-á ao exame de formalidades extrínsecas, vedada a apreciação dos fatos que os motivaram, bem como sua conveniência ou oportunidade."

O Ato Institucional suspenderia as imunidades parlamentares, cassaria mandatos eletivos federais, estaduais e municipais, suspenderia direitos políticos pelo prazo de dez anos, excluindo a apreciação judicial de tais atos, além de fornecer a "base legal" (sic) para a abertura dos IPMs ("pela prática de crime contra o Estado ou seu patrimônio e a ordem política e social ou de atos de guerra revolucionária"), desencadeando perseguições aos adversários do regime, prisões, torturas, clandestinidade e exilio. Os expurgos atingiram inicialmente 49 juízes. No Congresso, cinquenta parlamentares tiveram seus mandatos cassados, além de governadores, prefeitos, ex-ministros e ex-presidentes.

Mais de 1.400 servidores foram afastados da burocracia civil e cerca de 1.200 das Forças Armadas. Milhares de patriotas foram presos, exilados ou se viram obrigados a sobreviver na clandestinidade.

Logo após o golpe de 1964, já com sólida reputação profissional, Evaristo foi dos primeiros advogados a defender os acossados pelo novo regime. Entre tantos, participou da defesa dos ex-presidentes da República Juscelino Kubitschek e Jânio Quadros e do futuro presidente Fernando Henrique Cardoso;

dos ministros José Aparecido de Oliveira e Wilson Fadul e dos futuros ministros Renato Archer (já falecido) e José Serra, Paulo Alberto Monteiro de Barros (Artur da Távola), dezenas de oficiais das três Armas, sindicalistas, jornalistas e líderes partidários.

Concedido o asilo a acusados (entre eles o presidente João Goulart), o Código de Processo determinava sua citação por carta rogatória, comando aceito pelos Juízes de Direito então competentes para processar e julgar os réus de "crimes contra o Estado e a ordem política e social" nos termos da Lei nº 1.802, de 5 de janeiro de 1953. A represália veio no bojo do Ato Institucional nº 2, de 27 de outubro de 1965, que cuidou de transferir para a Justiça Militar os crimes previstos na já citada Lei nº 1.802/53. Entretanto, Evaristo,[29] em fina ironia, denominou de "único e verdadeiro milagre brasileiro (...) a equidade revelada em média pela Justiça Militar, no julgamento dos crimes políticos. Tal fato, certamente, decepcionou os idealizadores da manobra de transferir para a caserna a decisão de problemas jurídicos, objetivando, com isso, viessem os réus a ser encarcerados como inimigos e condenados com as severas penas reservadas aos traidores da pátria".

O Ato Complementar nº 1, baixado concomitantemente ao segundo Ato Institucional, era uma típica lei penal. Fixava sanções penais contra os que se manifestassem sobre assuntos de natureza política se cassados fossem; prescrevia penas de prisão e penas pecuniárias para os proprietários de empresas que veiculassem informação quando transgredissem o Ato (Evaristo defendera o jornalista Hélio Fernandes, da Tribuna de Imprensa, preso várias vezes pelos militares e depois por eles confinado); atribuía ao ministro da Justiça poderes para aplicar as medidas de segurança que o Ato definia, admitindo recurso ao Poder Judiciário sem efeito suspensivo. O Ato Complementar nº 3, baixado no dia 1º de novembro, conferia ao ministro da Justiça poderes para punir aqueles que

[29] Moraes Filho, 1982, p. 26.

demonstrassem "incompatibilidade com os objetivos da revolução". Se além da atuação "antirrevolucionária" (sic) fosse verificada a existência de crime, então o ministro da Justiça oficiaria à autoridade competente para o procedimento penal, sem prejuízo da aplicação imediata das sanções referidas no artigo primeiro do referido Ato, o que implicava a aposição de pena antes mesmo de findo o processo e, naturalmente, sem o contraditório.

Tais atropelos aumentaram em muito o trabalho do reduzido número de advogados que então se dispunham a defender os perseguidos, número que diminuiria, adiante, com o recrudescimento do golpe, já se vê. Não para Evaristo, que persistiu na defesa até o fim do regime, embora consciente das limitações que sofrem os advogados na defesa de presos políticos, onde até mesmo radicalizam-se as posições dos doutrinadores.

Carrara, autor do notável tratado penal *Programa do curso de direito criminal*, em dez volumes, liderava radical posição quando afirmava que o homem do Direito não deve sequer cogitar de crime político, arrematando: "De que serve trabalhar para tecer uma tela jurídica se em qualquer momento ela pode ser destruída pelo canhão e pela espada?." A realidade da vida afastou Evaristo dos ensinamentos do mestre de Pisa, quando afirmou princípios: "(...) os réus, acusados de crimes políticos a solicitar, a reclamar por justiça; os tribunais reunindo-se a cada dia. A proferir sentenças, libertando ou mandando para o cárcere pessoas processadas por antagonizar o regime; o Estado formulando leis que, à guisa de resguardar a segurança nacional, constituem permanentes ameaças aos direitos da cidadania. Como, diante desse quadro palpitante, pode o jurista se omitir, principalmente numa fase, como a que atravessamos, de reformulações legislativas? É imperiosa a cooperação dos juristas, na medida em que possam contribuir para a defesa dos direitos humanos."[30] Depois de lembrar a excelente contribuição de Ivo D'Aquino (antigo membro do IAB)

30 Moraes Filho, 1982, p. 34.

como redator principal da comissão elaboradora do Código de Processo Penal Militar, que nele estabeleceu o caráter meramente provisório do inquérito policial e determinou que o juiz somente poderia formar sua convicção pela livre apreciação das provas colhidas em juízo, regras que, quando aplicadas, livraram réus cuja "prova" eram as confissões extorquidas sob tortura nos inquéritos policiais, Evaristo recorreu à doutrina de Hungria (delito político é contingente e sua punição depende de seu insucesso); de Soler (crime político é o delito dos derrotados); de Eduardo Coll (o crime político mais grave não consiste na tentativa de derrubada do governo, mas é aquele que se configura quando os governantes submetem as instituições e os direitos à sua vontade pessoal: citado por Machado Paupério em sua obra *O direito político de resistência*); de Florian, para quem só o regime democrático tem autoridade para punir crimes políticos (opinião que perfilhava). Evaristo dá mostra de sua erudição completando sua avaliação do tema com as citações de Carranza e Maggiore.[31]

31 Moraes Filho, 1982, pp. 35-37.

Mesmo com as restrições já referidas, ainda sobrava espaço para o exercício do nosso penoso ofício. Pouco, é verdade, mas que procurávamos alargar com pertinácia. O clima era de caça às bruxas e de insegurança generalizada, mas ainda longe dos anos de chumbo cujas nuvens já se desenhavam ameaçadoras no horizonte da estreita política de luta interna entre militares da linha dura e outros da linha duríssima, que a crônica amenizava no que chamava a contradição entre pombas e falcões, como se inofensivas pombas habitassem o ninho da ditadura. De qualquer forma, as defesas se exercem vigorosamente nos julgamentos da Justiça Militar; Evaristo mais técnico, George Tavares mais arrebatado, cada um com suas peculiaridades, advogados de presos políticos nos reuníamos para almoçar entre o final do julgamento e a decisão do Conselho de Sentença (um juiz-auditor togado e quatro oficiais juízes), que se reunia em sessão secreta. Já se sabia, pela natureza do processo, pela proximidade com o auditor ou pelo desempenho do Conselho ao longo do sumário, se a sentença tardaria mais ou menos. Menos, então se almoçava — quando o julgamento era em uma das Auditorias do Exército no prédio do Superior Tribunal Militar, na praça da República, ao lado da antiga Faculdade Nacional de Direito — na própria cantina do STM; mais e copiosamente, no A Lisboeta, tradicional restaurante português da rua Frei Caneca. Se o julgamento se estendia até mais tarde, em qualquer das Auditorias ou quando ainda no Rio o STM, então se jantava em algum bom restaurante da Zona Sul e a conversa varava a noite. O cavaco era livre, mas evitava-se conversar sobre o julgamento, Deus sabe o porquê. George invariavelmente servia-nos poesias: de autores famosos ou os seus repentes muito apreciados pelo Evaristinho.

Discurso do então deputado Marcio Moreira Alves seria o pretexto para a recrudescimento (recrudescer é tornar-se mais cruel) do golpe e a edição do Ato Institucional nº 5, a 13 de dezembro de 1968. A questão política real era a rearticulação dos movimentos de protesto contra o regime e a criação da Frente Ampla, que reuniu Jango, JK e Lacerda, antigos adversários que se uniam contra a ditadura.

A tábua de castigos do AI-5, além de suspender a garantia do *habeas corpus* nos casos de crimes contra a segurança nacional, voltar a cassar mandatos, suspender direitos políticos e encher novamente as prisões, estabelecia a liberdade vigiada (contradição em seus próprios termos); proibição de frequentar determinados lugares (que naturalmente não determinou), domicílio determinado (naturalmente determinado e atende pelo nome de prisão), entre outras barbaridades. Incontáveis prisões e entre elas a do Evaristo, como já referi, e do autor destas linhas, entre alguns advogados. Até dr. Sobral seria preso em Goiânia, ocasião em que, respondendo ao coronel carcereiro que preconizava uma curiosa democracia à brasileira, não titubeou afirmando que à brasileira só conhecia o peru: "A democracia é universal, coronel, só o peru é à brasileira!"

Na esteira do AI-5 veio o draconiano Decreto-lei 898, de 29 de setembro de 1969, exasperando as já terríveis sanções dos diplomas que substituía, além de inaugurar a prisão perpétua e a pena de morte. Os expurgos no Parlamento reiniciaram com a cassação de 58 deputados, inclusive 37 da Arena, além de privar Carlos Lacerda de seus direitos políticos, como um ataque direto à Frente Ampla. O Judiciário também não escaparia à sanha da ditadura. Em janeiro de 1969, três notáveis ministros do Supremo Tribunal Federal viram-se forçados à "aposentadoria": Evandro Lins e Silva e o saudoso Victor Nunes Leal, além do presidente do STF, ministro Gonçalves de Oliveira, que altivamente renunciou em sinal de protesto. Também seria aposentado por ato de força o general Pery Constant Bevilacqua do cargo de ministro do Superior Tribunal Militar, que julgava de acordo com sua consciência e a prova dos autos, conjugação inaceitável para seus colegas da linha dura. Setenta professores da Universidade de São Paulo foram "aposentados", entre eles Octavio Ianni, Fernando Henrique Cardoso e o saudoso Florestan Fernandes. Na outra ponta, criou compulsoriamente, por Decreto-lei, o curso de Educação Moral e Cívica, que todos os estudantes deveriam cursar a partir de material antecipadamente aprovado e destinado a divulgar a doutrina da Segurança Nacional tal como a entendia a Escola Superior de Guerra para formar as mentalidades jovens com os ideais da "Revolução" (sic), tal qual no fascismo, já se sabe. A perseguição ao funcionalismo foi reativada através de uma Comissão Geral de Investigação.

É a escalada da repressão. As prisões encheram-se de adversários reais ou imaginários da ditadura, alcançando até setores conservadores, mas já em oposição à tirania. Para além de empregar os meios coercitivos tradicionais nas ditaduras totalitárias, o regime procura controlar a educação e os meios de comunicação através de rigorosa censura prévia e exerce pressão propagandística permanente: é a fase do milagre brasileiro, do "Brasil, ame-o ou deixe-o".

Os anos de chumbo forçaram a aventura da luta armada, certamente um erro de avaliação política. Entretanto, ao fechar os canais de participação política, generalizar a violência contra a população, perseguir cruelmente os que se opunham ao governo, a ditadura compeliu os vitimizados a adotar uma ação política que, na origem, não cogitavam. A ilegitimidade do regime e sua ação violenta é que geraram uma contraviolência inaceitável, mas compreensível. A responsabilidade moral e política pela chamada resistência armada, forma equivocada de luta, é dos que romperam a legalidade democrática, em 1964, e marcharam, de rota-batida, para a mais terrível repressão da nossa história, desde os capitães do mato.

Já se vê que nesse quadro de responsabilidades agravadas tornou-se extremamente penosa a defesa dos presos políticos. Evaristo define o momento para o advogado de forma lapidar: "Triste, porém, o Estado em que os advogados devem ser heróis para executar seu labor!"[32]

"Por mais que a coragem engrandeça e mesmo gratifique àquele que ama a sua causa, lamentável seria erigi-la em regra e em instrumento necessário para o desempenho diuturno do pugnar pelos direitos alheios."[33] É certo, mas a coragem seria o combustível necessário para manter o advogado no bom combate. Quixotes contra os organizados e cruéis moinhos de vento do regime. Certamente, Evaristo foi um deles.

O balanço dos órgãos de informação e repressão dá a medida do perigo e do esforço. Logo após o golpe de 1964, os militares criaram o Serviço Nacional de Informações, que cresceu e espalhou seus tentáculos sobre toda a sociedade e sobre todo o aparelho do Estado. Além da Agência Central (que daria o último cônsul do regime militar) e de agências regionais espalhadas por todo o país, o SNI dispunha de duas Divisões

[32] Moraes Filho, 1982, p. 112.

[33] Moraes Filho, 1982, p. 112.

de Segurança Interna em cada ministério e das Assessorias de Segurança e Informações em outros órgãos públicos. O número de pessoas envolvidas em caráter permanente nesse tipo de trabalho jamais foi tornado público, mas estima-se em duas mil pessoas, além de incontáveis colaboradores eventuais.

Além das atividades de informação habituais a cargo de duas Segundas Seções das unidades militares de cada Força, planejadas no governo Castelo Branco e implementadas rapidamente no governo Costa e Silva, foi criado o Centro de Informações do Exército, seguido por órgãos semelhantes de outras Forças. O Centro de Informações da Aeronáutica, criado em 1968, foi reformulado em 1970 por influência de oficiais treinados em Fort Gullick, no Panamá. A Marinha já possuía centro de informações desde 1955, o Cenimar, posteriormente reformulado para enfrentar necessidades militares no combate à luta armada. Ao lado e em auxílio a esses órgãos, com apoio financeiro de empresários, foi criada, dentro do II Exército, a Operação Bandeirantes (OBAN), em São Paulo. Em 1970, foram criados os Centros de Operações de Defesa Interna, os CODIs, que tinham como área de ação a jurisdição de cada Exército. Entidade composta por representantes de todas as forças militares, bem como da polícia e do próprio governo, o CODI era chefiado pelo chefe do Estado-Maior do comandante de cada um dos Exércitos. Subordinados aos CODIs, foram criados os Destacamentos de Operações e Informações (DOIs), que congregavam membros das três Forças, bem como policiais civis e militares. O DOI era uma unidade móvel e ágil, com pessoal apto a atuar como o braço armado do regime. O país foi dividido em Zonas de Segurança Interna sob o comando do chefe do Exército correspondente, que detinha poder de coordenação sobre a Marinha e a Aeronáutica, além das polícias civis e militares. O Conselho de Segurança Nacional passou a exercer funções de planejamento governamental, além de oficializar as cassações. Diretrizes diversas sobre segurança interna, decretos secretos, Plano Nacional de Informações, Escola Nacional de Informações, entre outros instrumentos de controle e repressão, completavam o sistema de segurança nacional. Some-se a isso tudo organismos clandestinos, agências e colaboradores voluntários — Comando de Caça aos Comunistas (CCC); Movimento de Caça aos Comunistas (MCC), agências semioficiais dos DOIs, como os responsáveis pelo atentado do Rio Centro, entre outros — que praticavam, acobertados pelo Estado, atos de terrorismo, e temos, de corpo inteiro, o retrato da repressão.

A redefinição, pela lei de segurança, de assalto a estabelecimento de crédito fazendo competir à Justiça Militar o julgamento dos delitos, independentemente da motivação, gerou um monstro que até hoje atormenta os morros fluminenses. O art. 27 do Decreto-lei 898/69 ("Assaltar, roubar ou depredar estabelecimento de crédito ou financiamento, qualquer que seja a sua motivação. Pena: reclusão de 10 a 24 anos"), igualava o crime comum de assalto a banco ao crime político. Pela lei de segurança, era indiferente a motivação do agente. Assim, foram confinados no presídio da Ilha Grande, ao lado de perigosos ladrões de banco, numerosos ativistas políticos, cuja organização ("o coletivo") na cela (disciplina carcerária, solidariedade, estudos através de palestras e leituras, divisão de presentes, de frutas e de cigarros, além de roupas e agasalhos) acabou inspirando os bandidos a também se organizarem. Essa é a origem do chamado Comando Vermelho, organização criminosa que exerce nociva influência nos presídios do Rio de Janeiro e atua, desenvolta, no crime organizado, especialmente o narcotráfico.

O grupo Tortura Nunca Mais contabiliza 125 desaparecidos, sessenta dos quais no Araguaia. O saldo da repressão política, no que se refere a cassações e punições, revela 4.841 punições políticas entre 1964 e 1973; 517 perderam seus direitos políticos e 541 tiveram cassados seus mandatos eletivos:

1.124 aposentadorias, 844 reformas e 1.815 demissões. Nas Forças Armadas, entre aposentadorias, reformas e demissões, 1.502 foram atingidos, e nas policias 177 pessoas. Na área sindical (até 1970), ocorreram 536 intervenções, a maior parte delas (252) por motivos políticos. É difícil fixar o número de presos e torturados pelo regime, mas não são contados menos do que aos milhares.

Foi muito árdua a luta a que foram submetidos os advogados de presos políticos. Tiveram de apreender a agir com eficácia e com coragem. Entre eles, Evaristo conquistou, com coragem, discrição e inexcedível competência, o seu lugar.

E com absoluta independência. Independência que também marcou sua trajetória de advogado. Adotava a feliz expressão de Maurice Garçon, com que encerro alguns fatos e muitas lembranças do amigo:

"O advogado é o único senhor de sua pessoa; é o juiz de si mesmo, só à sua consciência tem de prestar contas dos seus atos."

(Contribuição ao livro *Antonio Evaristo de Moraes Filho por seus amigos*.[34] Texto publicado também no livro *Papéis Avulsos*)

34 Vieira, 2001.

Tô qualificando

Recebi, pelo Correio, de um anônimo (digo anônimo, porque embora se identifique como "remetente" não consigo dele lembrar-me. Perco memória?) o livro *Diário de Fernando*, organizado por Frei Betto, que vem com referência à página 138, já iluminada pelo marca-texto. Leio: "Após três meses conosco, padre Hélio Soares do Amaral foi solto dia 18. Graças ao advogado Marcello Cerqueira, o STM anulou o julgamento que o condenara a 14 meses de prisão". Releio o parágrafo e não me vêm à memória nem o padre e nem o julgamento. Foram tantos, justifico-me, mas fica-me a sensação de que a memória já me falha, ou não quero me lembrar. Curioso, tenho recebido vários registros em livros de defesas que fiz nos anos de chumbo e de algumas não consigo me lembrar. Ou não as quero? Não são apenas lembranças, pensamentos de antes, mas lembranças de sofrimentos, pensamentos que não quero guardar comigo.

Fechei o livro e fui à praia. O sol castigava o lombo da gente e me impedia a caminhada costumeira. Saio regularmente do Posto 5, na Copacabana que me abrigava, caminho até o Posto 6, e continuo até o Leme e volto ao Posto 5. São 8.400 metros, como me diz um velho companheiro do Partido, engenheiro aposentado que fazia o mesmo percurso. "É muito chão", penso. Parei em um quiosque da orla, destes novos recém-implantados e pedi um coco gelado. Ao meu lado, um popular, mas popular, mesmo, no sentido próprio da palavra, um homem do povo, alegre, risonho, brincalhão. Fala isso e aquilo, eram fragmentos de expressões que me passavam. Como passava uma linda moça que fazia a "pista" à noite. O popular lançou a rede: "Morena, coragem eu tenho...". A morena mal olhou para ele e nele não identificou alguém abonado que merecesse sua elevada atenção. Fez uma espécie de muxoxo e seguiu em frente. O popular virou-se para mim e lascara: "Coragem eu tenho... Mas não tenho sorte..." Fiquei cismando sobre o novo vocabulário que nasceu nas encostas dos morros da minha cidade e se expressava nos funks, ganhava o asfalto. O sol continuou castigando a moleira. Entrei no Posto 4 para molhar a testa e os pulsos e um popular, sempre um popular, que de populares é feita a praia, tossia fortemente. Era jovem. Por que será que a tosse tomava sua garganta e seu corpo tremia com a tosse? A mão na boca não diminuiu o ronco da tosse cavernosa. Digo: "Tosse braba, companheiro". Que me respondia: "Tô qualificando. Tô qualificando." Voltava a lembrança do ontem e do popular: "Morena, coragem eu tenho..." E de hoje: "Tô qualificando..." Se é certo, e certo é, que a internet cria, especialmente entre os jovens, uma nova forma de comunicação, uma linguagem restrita, os populares também criam a deles. Estava na minha hora. Recolho minha pessoa.

Conselheiro, o senhor bebe?

Com Mario Alencar em semanal almoço na Colombo, mal acabo o repasto e saio apressado pela Gonçalves Dias a demandar o Fórum, quando sou parado pelo Oyama Telles, veterano jornalista e pessoa muito estimada:
— Rapaz, queria mesmo falar contigo.
Abraços e tal:
— Fale, Oyama.
— Não vê que o Itamaraty está expurgando diplomatas comunistas, alcoólatras e veados e eu tenho um amigo, o Conselheiro (não guardei o primeiro nome) Cavalcanti que foi chamado e precisa de um advogado.
Em que categoria se situa o seu amigo?
— Alcóolatra.
— Ótimo: quem não bebe não vê o mundo girar. Tá aqui meu cartão. Pede pro cara me telefonar que eu o acompanho.
E desabalei, pois o Código de Processo apenas permite atraso de quinze minutos ao advogado e eu já estava na prorrogação.
A IPM funcionava no Palácio Itamaraty e na porta, afinal e na hora aprazada, encontro o Conselheiro. Preciso dizer que ele era conselheiral! Alto, fornido de corpo, mas sem perder a elegância envolta em impecável terno de linho S120, camisa creme e gravata de seda saída a grená com detalhe de um

lencinho no bolso tal a gravata só que com bolinhas brancas. Cumprimentos de estilo e entramos. Logo na segunda sala, estavam um tenente-coronel (absolutamente constrangido) e um sargento datilógrafo. Levantou-se formal, apertos de mão, convite para sentar. Pigarro. Muitos pigarros coronelícios.

— Conselheiro, veja, esta tomada de depoimento é uma mera formalidade. O senhor é livre para responder o que quiser. — Não podia ser mais amena a pobre autoridade. — Conselheiro, por favor, o senhor se qualifique respondendo às perguntas de praxe do sargento.

O que foi feito. Natural do Recife, guardei, por volta dos 50 anos teria.

Respirou fundo a autoridade:

— Conselheiro, o senhor bebe?

Tranquilo, calmo, seguro de si, respondeu o indagado:

— Seu Coronel. Eu, BellaKrim e Jayme bebemos quantidades industriais de uísque.

Não era isso que a autoridade queria ouvir. Gostaria que o Conselheiro negasse, assinasse o termo e se picasse. Mostrou constrangimento e voltou a perguntar se o acusado bebia. Que singelamente respondeu:

— Seu Coronel. Eu, BellaKrim e Jayme bebemos quantidades industriais de uísque.

A autoridade olhava pra mim com ar de "vê se me socorre!" Podia eu fazer o quê?

Afinal, foi tomado o depoimento, o Conselheiro assinou e assim os demais. Saímos. O Conselheiro agradeceu e perguntou sobre os honorários.

— Não é nada Conselheiro, foi um prazer acompanhá-lo e atender ao Oyama.

— Obrigado, vou dar um pulo no Paladino — Paladino é um bar tradicional aberto até hoje no Centro do Rio: uma relíquia —, o senhor é meu convidado.

— Obrigado Conselheiro, vou pegar um lotação aqui mesmo na rua Larga e volto ao escritório.

Apertamos a mão e nunca mais o vi ou dele tive notícias.

Corre o Marfim e encontro o Oyama no Piantella. Abraços coisa e lousa e estava ele de assessor de imprensa do Petrônio Portela e o Faoro já abria veredas para a anistia. Amizade que me valeu bom acesso ao Petrônio e alguma atuação na negociação no anteprojeto da anistia. Mas isso é outra história, que fecho contando ao amigo o interrogatório do Conselheiro, que ele também perdera de vista. Não, BellaKrim nunca ouviu falar, mas Jayme, se não se enganava, era à altura diretor da Light.

Fico devendo o porquê do Oyama e a negociação da anistia.

A terra é da Santa

O deputado andava por toda a Câmara, ia pra lá, ia pra cá, percorria as salas das comissões e o plenário, atravessava o Túnel do Tempo para ir ao Senado, voltava ao seu gabinete no Serra Pelada: enfim, incansável. Pensava-se que fosse peripatético (como Sócrates). Mas não. Era de profissão carteiro em Aracaju. Tinha que andar. Era muito dedicado às coisas de sua terra.

Deu-se que no fim do ano, justo no recesso, arregimentou caravana para enfrentar um problema cabeludo de condenação em primeira instância de posseiros de Santana dos Frades.

Não lhe foi difícil conseguir adesão de colegas da região: Alagoas, Paraíba, Recife e até um de Minas Gerais. Mas o deputado queria justamente o colega do Rio. Que arrepiou carreira:

— Tem paciência, Jackson. Não há falta de bons advogados na sua terra.

— Não falta — respondeu ele. — Mas vindo um de fora, de nome, vai fazer diferença. O caso é seríssimo e os coitados estão presos.

— Fizeram o quê?

— Não vê que são posseiros de uma "data de terras", lá pras bandas de Propriá onde vivem da venda do coqueiral nativo e da lavoura de subsistência...

— E?

— É que as terras em volta foram compradas por uma empresa e a posse ficou como se fosse uma ilha no meio delas. Os posseiros não quiseram vender sua terrinha. Estão lá desde tempos imemoriais, descendentes dos índios Tupinambá. As terras foram, ainda no Reinado, doadas à Santana dos Frades pelo barão dono delas, após alcançar uma graça que à Santa pedira. E fez a "escritura" de doação em livro próprio da Igreja, como de uso naqueles tempos. Então, o grupo que saiu nos carros de boi para vender a produção de coco foi preso pela polícia, que os acusou de terem roubado os cocos da fazenda lá da empresa.

— E?

— Presos, foram levados à capital, processados e condenados pelo juiz local.

— E?

— Tá certo isso?

— Não, não tá. E?

— O advogado apelou para o Tribunal, que entrou em recesso e só vai a julgamento ano que vem.

— E?

— É preciso, sei lá, um *habeas corpus*, uma medida pra soltá-los logo, antes do Natal.

— Peraí, Jackson. A história convence.

— E?

— O que não convence é que com tanto advogado bom lá, eu tenha que ir justo ao início do recesso. Tenho compromissos, pô!

— Sei, mas sua ida é imprescindível. — E tirou o coelho da cartola. — Sou portador de uma carta do bispo de Propriá, que te conhece e que já se valeu dos teus serviços quando a Justiça Militar no Recife processou os redatores do *A Defesa*.

(Realmente, D. José Brandão de Castro, santo homem, recusou a "sugestão" da Polícia Federal de intervir no jornal diocesano *A Defesa*, useira e vezeira em criticar as autoridades, inventando prisões e desmandos do governo militar. Modesto da Silveira estava doente e sobrou pra quem?)

— Rendeu-se o pobre. E lá se foi para a agradável e acolhedora Aracaju e de lá de carro até um ponto da cidade e dali a pé pelo areal até o povoado. D. Brandão já lá estava rodeado pelo povo.

Após as saudações de estilo, o forâneo entabulou conversa com os lavradores. O que parecia ser o líder, traços acentuados de índio, arengou:

— Não podem fazer isso, moço: a terra é da Santa!

Bingo!

Com aquela argumentação definitiva (A terra é da Santa!) e o livro original da doação, intacto apesar dos anos, o *habeas corpus* foi recebido pelo presidente do Tribunal no copiar de sua casa e lá mesmo deferido, sem prejuízo do posterior julgamento da apelação. Chamado, o escrivão lavrou o termo que, assinado pelo presidente e pelo escrivão, foi levado, em farrancho, pela caravana ao presídio e libertados os presos. Aleluia!

Era Natal.

Seu Manoel João

Tinha a ferrovia no sangue, criado que foi nas oficinas da Estrada de Ferro da Leopoldina Railway, em Porto Novo do Cunha, onde seu pai, viúvo, exercia as funções de mecânico. Terminadas as aulas no Grupo Escolar, corria à oficina justo na hora do almoço, onde dividia com o pai a marmita que dona Emerenciana, dona da pensão em que moravam, preparava para ele e para mais uns quantos trabalhadores cativos do seu tempero.
    Com a extensão da linha para Três Rios, que então se chamava Entre Rios, o pai foi exercer seu ofício na nova Estação.
    E foi então que tudo começou.
    Já grandote, ganhou emprego na ferrovia e foi crescendo no emprego. Dedicado e simpático ficou amigo de todos, o que iria lhe facilitar a passagem ao mundo novo que descobrira. A danada da política.
    A célula do Partido Comunista era muito ativa ao longo dos trilhos e vislumbrou, no jovem ferroviário, o militante e o dirigente que viria a ser. Aprendeu rudimentos do marxismo, entendeu bem a luta de classes; afinal, não era difícil comparar a vida dos ricos com a dos pobres — dos diretores da ferrovia com seus empregados. Particularmente, implicava com a soberba do *mister* Williamsem, fornido inglês, mandão e besta e uma espécie de inspetor-chefe da ferrovia.

E eis o nosso personagem feito mecânico da oficina da Estação de Três Rios e já dirigente da célula ferroviária da localidade, militância que lhe valeria a prisão na Ilha Grande, na malograda revolta de 1935. Conheceu Graciliano Ramos e se encantou com seu jeito amável e sereno. E, logo, passou a devorar os livros que a organização do pavilhão dos presos políticos lhe emprestava. Também frequentava as aulas que o "coletivo" proporcionava. Se antes tocava de "ouvido", passou a tocar por "música" — como dele diziam.

Com a anistia, retornou a Três Rios e com a legalização do Partido Comunista elegeu-se deputado estadual à Assembleia Legislativa do Estado do Rio de Janeiro. Com a cassação do registro partidário, perdeu seu mandato e optou pela vida clandestina de dirigente comunista como "desligado da produção", jargão que contemplava os militantes que viviam dos modestos salários que o Partido pagava. E foi assim que se passaram os anos de sua vida até a prisão com o golpe de 1964.

Conheci seu Manoel João em 1965, antes do AI-2 transferir para a confiável Justiça Militar a responsabilidade pelos delitos contra a segurança nacional (deles). Fui revê-lo depois do Ato na 2ª Auditoria do Exército. Já aparentava os anos que trazia, mas mostrava-se disposto e saudável.

Em função de uma singularidade (já que termo melhor ora não me ocorre), o processo referido na 2ª Auditoria resultou em espantosa absolvição por 3x2.

Tempos e tempos depois, voltei a encontrá-lo no DOI-CODI da rua Barão de Mesquita.

Inacreditável! Mas explico o porquê.

O quartel da Polícia do Exército sediava o DOI-CODI, mas seus militares não participavam da casa de horrores (diziam...). Faziam-se de desentendidos, como a maioria dos oficiais.

Entretanto, o major subcomandante do quartel foi colega no Colégio Militar de um primo meu oficial de Marinha.

Através dele consegui, depois de muito arengar, arranjar um encontro com seu Manoel João. O argumento decisivo foi a idade do preso, que, então, já contava com mais de cem anos. Isso mesmo: mais de cem anos!

E, numa sala do quartel, me chegou o seu Manoel João, como sempre, animoso. Abraçou-me e pediu notícias dos meus. Parecia estar recebendo em sua, lá dele, sala-de-visitas.

O carcereiro, que se autochamava dr. Medeiros, mas cujos modos e o corte de cabelo revelavam a origem castrense, falou-me:

— Olha, doutor Marcello, resolvi atender ao pedido do major em função da idade do preso.

Estaria aliviado de se ver livre de um preso centenário?

— Pois agradeço, doutor Medeiros, ao senhor e ao Major, confesso que me preocupava a situação do seu Manoel João, o senhor sabe...

Atalha o seu Manoel João:

— Fiquei admirado com minha prisão. Apesar da minha idade, confiei na proposta de abertura do...

Faltou-lhe o nome do presidente da República e virou-se para mim.

— Como é o nome desse cachorro, Marcello?

Respondi já desanimado:

— General Geisel, seu Manoel João. General Geisel.

Um incerto Coronel

Certo coronel, incerto, era uma curiosa figura. Comandava um quartel em São Cristóvão, rua cheia de quartéis. Sistemático e nada taful, tinha manias. Prisioneiro não tinha direito a banho de sol, não podia ter na cela pasta de dente, porque, dizia, misturada à nicotina e exposta ao sol dava um "barato" (não usava o termo, mas seu significado). Sem embargo disso, tinha um ponto inarredável, que o distinguia de outros comandantes: não permitia a saída de presos para novos interrogatórios:

— Preso meu só sai com ordem do auditor e com firma reconhecida — proclamava e cumpria.

Na Copa de 1970, pedi entrevista concedida e tive o pedido negado:

— Preso meu não é brasileiro e não tem direito de ver os jogos do Brasil, traidores da ordem que são.

— Mas não tem um jeito coronel? — pedia a prestimoso advogado.

— Tem não, aqui, preso meu só vê com ordem do presidente da República.

Pronto: tirou-me o espinho da mão. Enviei circunstanciado telegrama de apelo ao general Médici: "Deixasse os presos verem a nossa seleção brilhar, general."

Dias depois, poucos dias, sou chamado ao quartel e o coronel confessou ter recebido ordem da Casa Militar para permitir a televisão.

— Ponto seu, doutor — resmungou o militar.
"Ponto dele", pensei eu.
Brasil!

(Lembrei-me desta história agora, véspera da Copa de 2014)

Caminhos que se cruzam
À memória do incrível José Gomes Talarico

Aparentemente, as duas histórias que seguem parecem não ter nexo, mas quem persistir neste o encontrará.

No iniciozinho dos anos 1970, eu dava aulas de processo civil pela manhã e, pela noite, de direito administrativo. Tempos bicudos, de manhã a aula começava às 7h40 e a da noite terminava às 22h40. Entre elas, dividia um modesto escritório de advocacia com dois amigos de Grajaú. Clientes pagantes escassos, a magra receita era completada revisando livros da Civilização Brasileira, que o generoso amigo Ênio Silveira não deixava de enviar. De permeio, cursava o doutorado na antiga Faculdade Nacional de Direito.

No veranico de maio daquele ano, um simpósio em Porto Alegre iria discutir alterações no anoso Código de Processo Civil (Decreto-lei de 1939). As opiniões se dividiam entre os que gostariam de manter a estrutura atual e os que preferiam um código novo passado a limpo. A primeira teria a vantagem de não interromper a continuidade legislativa, mas apenas consolidaria as leis que modificaram o texto inaugural ao longo de muitos anos. A segunda, objetivava disciplinar autonomamente alguns institutos que o tempo superou na lei então vigente.

O diretor da Faculdade provavelmente viu no dedicado e atarantado professor que ele precisava de umas férias; mudança de ares, pelo menos. E lá fui eu, com tudo naturalmente pago ao tal simpósio.

Calhou de ser colocado na mesa presidida pelo professor Alfredo Buzaid, autor do anteprojeto de revisão do Código ainda no governo do presidente João Goulart e ao tempo ministro da Justiça da feroz ditadura militar do general Garrastazu Médici. A folhas tantas, coube-me redigir uma resolução da mesa, e o professor Buzaid só tinha elogios, não porque eu soubesse — bem não sabia — processo civil, mas pela redação sem erros de português. "Caso raro, meu jovem..."

Tempos depois, recebe-me cordialmente em audiência, em que eu iria pedir a suspensão da ordem de prisão contra minha cunhada Leila Diniz. O que acabou por conceder, não sem antes criticar acerbamente a conduta de Leila, catilinária estúpida que aguentei em silêncio, além de tomar de mim o compromisso de levá-la a depor, o que fiz posteriormente.

Leila estava em Petrópolis, abrigada na casa de Flávio Cavalcanti, que dirigia o programa de auditório em que ela participava como jurada quando o temido inspetor Senna chega com a ordem de prisão. Flávio manteve o programa no ar enquanto um assistente da produção me telefonava e eu chegava a tempo de fazê-la escapulir. Esses episódios são muito conhecidos e faz parte da biografia de Leila e do filme do querido Bigode sobre ela.

> *Sem discurso nem requerimento, Leila Diniz soltou as mulheres de vinte anos presas ao tronco de uma especial escravidão* (Carlos Drummond de Andrade).

Mas Leila nada tem a ver com as duas histórias que pretendi contar. É que o narrador não tem controle sobre sua pena e as lembranças vão escorrendo pelo papel. A saudade também.

(continua)

José López Rega (*El Brujo*), ex-policial, astrólogo, guarda-costas, tornou-se secretário de Perón, ainda no exílio em Espanha. Após a eleição e renúncia de Cámpora, Perón elegeu-se presidente da República, tendo como vice-presidente sua mulher Maria Estela Martinez de Perón, chamada Isabelita (bailarina exótica em um cabaré no Panamá, onde conheceria o exilado general Perón, com quem afinal viria a se casar), e nomeia López Rega como ministro do Bem-Estar Social. Entre outras barbaridades, o Bruxo funda a Associação Anticomunista Argentina (Triple A), organização paramilitar responsável pela morte de mais de quatrocentas pessoas e o "desaparecimento" de cerca de quinhentas, além de cometer 1.550 atos terroristas entre 1973 e 1976.

A Triple A foi o embrião em muito ampliada pela terrível ditadura argentina (1976-1983).

López Rega teria sido agente da CIA e colaborador de Muammar Kadhafi, sendo a ele creditado o acordo entre a Argentina de Perón e a Líbia de Kadhafi.

Com a morte do caudilho, sua viúva Isabelita entrona-se na presidência da República e o Bruxo "assume" o poder em uma das fases mais conturbadas da política argentina. (López Rega serviu de inspiração a Janete Clair para criar o personagem da novela *O astro*.)

Após o fracasso do mirabolante plano econômico do seu protegido ministro da Economia Celestino Rodrigo, o Bruxo cai em desgraça e viaja a Espanha ainda na qualidade de embaixador extraordinário da Argentina. Com a queda de Isabelita, López Rega foge por dez anos até ser capturado e extraditado pelo FBI, em 1986. Morre na Argentina em 1989.

Entretanto, quando conto esta história, López Rega estava no auge do seu poder.

(continua)

Em 11 de setembro de 1973, foi morto em Santiago do Chile o presidente Salvador Allende, que sacrificou a vida na resistência ao golpe militar, liderado pelo general Augusto Pinochet, articulado com os serviços secreto (CIA e CIEX — Centro de Informações do Exterior) e os governos dos Estados Unidos e do Brasil.

O resultado macabro foi a prisão de 100 mil chilenos (e estrangeiros), além da tortura e morte de cerca de 30 mil partidários do governo deposto. Alguns mais afortunados conseguiram refúgio em embaixadas e consulados. Inclusive na embaixada argentina, cujo país já vivia a instabilidade do governo Perón.

De qualquer forma, os asilados são autorizados a viajar a Buenos Aires e acabam internados na cidade de Posadas, na província de Missiones, às margens do rio Paraná. Depois, voltam a Buenos Aires e ficam "hospedados" em um nosocômio desativado de pacientes, onde o destino me fez encontrá-los.

E conto logo o porquê.

A mãe de um cliente meu, Sergio, que estava entre os, por assim dizer, confinados no tal nosocômio (era assim chamado), cantora lírica e respeitada dama da alta sociedade carioca, através de contatos portenhos que a família mantinha, fez-se receber, na cidade de Buenos Aires, pelo diretor de Imigração Don B. Cornejo, tipo educado e galante, largas costeletas, que sabedor da missão da nobre senhora, preferiu convidá-la a um chá, em um daqueles maravilhosos cafés. Convite feito, convite aceito.

Naturalmente, Don Cornejo já a esperava na elegante Confiteria Ideal, na *calle* Suipacha.

Após as preliminares de costume, a senhora aprofundou a conversa. Poderia a autoridade dizer o que o governo da presidente Isabelita pretendia fazer com os asilados, já que corriam os mais estranhos e inquietantes rumores, estimado *señor*. Sua preocupação era tanta e tamanha, que já pedira ao advogado do filho que se preparasse para viajar a Buenos Aires.

Arou em terra boa.

Don Cornejo assentiu nos rumores, compreendia a inquietação da dama, ele mesmo, professor de direito e advogado, comungava das preocupações das famílias dos confinados. Não fazia muito tempo, participara, em Porto Alegre, de um simpósio sobre direito processual civil e recolhera preocupações semelhantes dos colegas brasileiros.

Coincidência, o advogado do meu filho, também professor, participou do Seminário. O senhor o conheceu?

Quem seria?

(A história não teria sentido se não fosse eu o professor.)

Claro, lembrava-se bem do jovem moreno, muito ativo e que lhe havia feito revelações de desrespeito às liberdades em seu país.

Foi o santo e a senha para que Don Cornejo, quase em sussurro, lhe confidenciasse que corriam até rumores de que os asilados poderiam ser *arrojados por la borda* de um avião que pretextaria levá-los a Cuba. Nada confirmado, entretanto. Eram tempos sombrios e especulava-se sobre tudo, inclusive a deposição da presidente. Por hora, parecia-lhe nada haver de concreto. A tradicional rivalidade entre a Argentina e o Chile não animava o regime a grandes manifestações a favor do general Pinochet, embora fosse comum o inimigo: o comunismo e o castrismo. Não que ele, Don Cornejo, comungasse com golpes. Não, era homem das leis e do direito, mas haveria a *señora* de convir que fosse necessário pôr um basta na escalada subversiva, claro sem prisões indiscriminadas e rasgando a Constituição do país. Felizmente, nossa presidente estava alerta para as tentativas subversivas e os montoneros (grupo paramilitar cuja curiosa consigna era *Perón o muerte*) já estavam sendo capturados. Tudo dentro da lei e da ordem, afirmava o dedicado servidor.

Agradecida, a pobre e desconsolada dama volta ao Brasil e relata ao advogado o ocorrido. "Falam até em jogá-los ao mar, Marcello."

Que, na sequência, lembrado das relações do presidente Goulart com o general Perón, imaginou que José Gomes Talarico, também seu cliente e compadre, amigo e fiel escudeiro de Jango, a quem visitava regularmente, poderia ter contatos com as autoridades de lá.

Talarico estava em Lima, visitando Darcy Ribeiro, onde foi alcançado pelo telefonema.

— Zé, a coisa tá braba na Argentina, os asilados brasileiros estão confinados em uma espécie de hospital e correm os piores rumores sobre seus destinos. Vamos lá?

E o generoso e incansável amigo:

— Vamos amanhã. Hoje, não deve ter mais avião. Costumo parar no Hotel San Antonio, na *calle* Paraguay esquina de Reconquista, te encontro lá.

E assim foi.

[José Serra, que desempenhava função em um organismo oficial, dispunha de placa diplomática no carro que usava, o que lhe permitiu circular após o golpe militar do general Pinochet, antes serviçal do bravo Salvador Allende, e levar vários exilados brasileiros, entre eles Herbert José de Souza, o Betinho, à Embaixada do Panamá. Quando procurava sair de Santiago com a família, foi preso no aeroporto e levado ao Estádio Nacional, túmulo de tantos opositores do regime. Não se sabe por que um major chileno decidiu libertá-lo, salvando-lhe a vida e pagando com a sua depois de revelada a libertação do brasileiro. Refugiou-se na Embaixada da Itália e, em seguida, seguiu para os Estados Unidos. Esses fatos eu viria a saber depois, mas palpitei então que ele, filho de italiano, poderia estar na

> Embaixada da Itália e para lá telefonei pedindo para falar com ele. Naturalmente, o funcionário disse que lá ele não se encontrava. "Está bem, mas se ele aparecer por aí pede para telefonar para Marcello Cerqueira no Hotel San Antonio, em Buenos Aires, telefone tal." Não deu cinco minutos e o amigo telefonou. Conversa rápida, como mandavam os tempos sombrios nas praças de Santiago e de Buenos Aires. Emocionou-se com a lembrança. Abraços e coisa e tal e desligamos.]

O encontro com o presidente da Confederación General de Trabajadores foi mais que decepcionante: *un pelotudo, no más*.

Já com o ministro da Justiça foi bem diferente. Recebeu-nos ao cair da tarde em seu palacete no elegante bairro de Palermo. Substituía ao paletó por um robe de seda algo escuro com *pelotitas* brancas e um lenço branco no *bolsillo*.

Convidou-nos a sentar, manifestou prazer em receber-nos. *Un mayordomo de librea nos sirvió de media luna*, café, leite, bolinhos e outros *hors d'oeuvres*, todos aceitos. Ofereceu-nos vinho e uísque, gentilmente recusados. Deslumbrante, precedida de um perfume especial, a esposa veio nos cumprimentar. Perguntou se estávamos bem atendidos.

> (Anos mais tarde, quando contei o fato, em Paris, a um atento Jorge Amado, o episódio mereceu o comentário: "Que merenda!")

"Certamente, senhora." E despediu-se deixando um rastro do perfume. Era filha de um antigo presidente da República uruguaia.

Que dama, sim senhor!

Tranquilizou-nos o ministro. Falam muitas coisas, correm muitos boatos. Mas vamos providenciar salvo-condutos para eles deixarem o país. Voltem descansados.

Voltamos.

Prendam os suspeitos de sempre.

(do filme *Casablanca*)

O sapato de Humphrey Bogart

O "ponto" no bairro da Consolação, em São Paulo, até que era seguro. Só os dois companheiros que lá se encontravam — sexta-feira sim, sexta-feira não — é que dele sabiam, escolhido por ambos e desconhecido de terceiros. Além disso, as regras eram precisas: tolerância de apenas cinco minutos da hora aprazada, que era meio-dia em ponto. Eventual atraso implicava transferir para a segunda sexta o próximo encontro. A repressão não tinha como "levantar o ponto". Por que então Zé Raimundo ficava tão aporrinhado quando tinha de "cobrir o ponto"?

Era por causa do sapato.

O ponto ficava bem em frente a uma sapataria que ostentava na vitrine um lindo sapato social de couro, duas cores (branco e vinho), cadarço marrom-escuro, com trabalhos em baixo relevo nos bicos. Zé Raimundo namorava o sapato, mas não tinha coragem de comprá-lo, era muito caro, a grana era curta e vinha toda da solidariedade de simpatizantes e amigos do Partido. A colheita era magra. Recolher as contribuições e distribuí-las aos aparelhos exigia paciência e coragem do pessoal das "finanças". Não, absolutamente. Era dinheiro da resistência, não se prestava a luxos. Mas como resistir ao apelo do sapato olhando-o sexta-feira sim, sexta-feira não? A solução era trocar de ponto. Tempo era o que não faltava para quem atuava na clandestinidade contra a ditadura militar nos anos 1970. Pouco havia a fazer. O "milagre" econômico os isolara irremediavelmente. As prisões se sucediam. As ações desesperadas para conseguir fundos, praticadas pelas organizações radicais, expunham indistintamente todos os adversários do regime, fossem da luta armada ou não. Zé Raimundo, comuna velho, sabia que era uma linha política suicida. Com ela jamais concordara. Mas não condenava os jovens que se aventuraram na luta armada. A responsabilidade de tudo era dos golpistas, dos militares que rasgaram a Constituição e botaram um marechal no governo e depois outro, e ainda um terceiro. Mas o pior é que ele também pagava pela radicalização, embora para ela não tivesse contribuído e mesmo a ela tivesse se oposto. Logo depois do golpe, procurara convencer velhos camaradas como Marighella, Mário Alves, Câmara Ferreira e outros, da inviabilidade daquele tipo de embate. Qual. Tudo inútil. Sacrificaram-se em vão. E com eles uma geração de jovens mártires. Deram tudo, até a vida para fazer um país que habitava os sonhos. Como o sapato na vitrine.

Bom, estava resolvido. No próximo ponto, comunicaria ao Azedinho sua inabalável decisão. Era a linha justa. A posição correta. Trocar de ponto. Fugir à tentação. Afinal, Hemingway, na Paris dos anos 1920, para ser escritor não se contentara com apenas uma refeição diária e até mesmo aprendera a evitar, na volta do estúdio para casa, as ruas com restaurantes e padarias exatamente para fugir da tentação? E o pai-nosso não se arremata com o "Não nos deixeis cair em tentação..."? Depois do artigo do Luís Maranhão, "Cristãos e Marxistas de mãos dadas", nem ficaria mal citar o pai-nosso. Ou ficaria?

Resolvidíssimo da silva. Trocar de ponto. Baixar em outra freguesia.

— Mas por quê? — Quis saber o companheiro.

Zé Raimundo não teve coragem de revelar o verdadeiro motivo. No Zé, a coragem era demais até para pequenas mentiras.

— Bom, quer dizer, o ponto, você sabe...

Não, Azedinho não sabia:

— Sei o quê, companheiro? Sei o quê?

— A gente tá aqui há muito tempo — escapuliu-se o Zé.

Argumento que o outro repeliu:

— Mais uma razão para ficar. O ponto tá provado que é bom. Seguro. Ninguém sabe. Ninguém viu a gente. Ou viu?

Zé Raimundo definitivamente não sabia mentir:

— Não, ninguém viu — afirmou descoroçoado.

— Então é o quê? Desembucha, cara! — falou Azedinho já irritado para fazer jus ao nome. — Tem coisa ai, Zé. Ou não tem?

Pronto. Olha o Zé encurralado. Apoia-se num pé. Apoia-se no outro. Coça o lombo. Assoa o nariz. Ajeita o nó da gravata. Passa a mão nos cabelos.

Azedinho, mãos na cintura, olha que olha. Zé desaba e desabafa:

— É o sapato, companheiro — confessa ele.

Agora, é o outro que não entende nada.

— Sapato, Zé? Sapato? Que história é essa de sapato, hein, Zé?

— É aquele ali. O dedo aponta o lindo sapato na vitrine.

Azedinho olha o sapato, olha o Zé, olha o sapato e encara o companheiro:

— Tô vendo, Zé. É um sapato. Aliás, sapataria vende sapatos, ou não vende, Zé? O que é que tem, afinal, esse raio de sapato?

A resposta custa a sair. E quase uma confissão que Zé arranca do peito:

— É que eu fico namorando o sapato, mas não tenho coragem de comprá-lo. É muito caro, não vê?

— Tá certo, Zé, mas o que tem de especial esse sapato pra botar você tão ouriçado, querendo até trocar um ponto tão seguro?

— É bonito, eu gosto, e pronto.

Nada disso. Zé não sabia nem disfarçar, Azedinho queria mais:

— Não pode ser só isso, Zé. Tem muitos sapatos bonitos por aí. Que será que justifica tanta gamação?

Zé não tem mais jeito, se rende, mesmo:

— É que foi esse tipo de sapato que calçou o Humphrey Bogart naquela cena do *Casablanca*.

Pronto. Zé havia revelado sua fraqueza. Indigna de um militante, é certo. E com as responsabilidades de dirigente nacional do Partido. Curtido em todas as pelejas: das cadeias do Estado Novo aos campos de batalha da guerra civil espanhola quando lutou, com Roberto Morena, nas brigadas internacionais, ao lado das forças republicanas, em Barcelona. *Casablanca* era a sua fraqueza. Quanta vez já tinha vista o filme. Vezes sem conta. Conhecia os diálogos de cor. E o que era mais incrível: embora soubesse com precisão o desenrolar do filme, ainda se surpreendia com as cenas, coma se fosse sempre a primeira vez, cada espetáculo uma revelação. Sua outra fraqueza era sua mulher, Terezinha. Mas ela sabia da sua paixão pela película. E também adorava o filme. Eram as duas paixões do Zé. Numa viagem à União Soviética, conseguiu, graças à boa vontade do interprete, incluir *Casablanca* no roteiro da volta. Não existia o bar do Rick. Nem Sam tocava "As time goes by" para Ingrid Bergman. Sequer pode cumprimentar o militante checo Lazslo, ao lado de quem lutara contra Franco.

Mas estavam todos lá. Inclusive presos ficaram os suspeitos de sempre. A luta continua.

— Vem cá, Zé. Como é que você sabe que o sapato é igual ao que Bogart usava? *Casablanca* é preto-e-branco, e o sapato da vitrine é bicolor.

— Oh, Azedinho, é simples e você mesmo respondeu à pergunta que fez. Se o filme fosse colorido você não faria a pergunta, não é mesmo?

— Mas o filme não é colorido, Zé. Você não pode saber.

— Posso, posso. Como é que eu não sei? Sei, sim. É justo no momento em que Bogart reencontra Bergman em *Casablanca* e esmaga com o sapato — com o sapato, ouviu bem, Azedinho, com o sapato — esmaga o cigarro e a câmera da um rápido close no sapato. Você não se lembra?

Não, Azedinho não lembrava. Mas também quem lembraria um pormenor desses? Quase derrotado, ainda arrisca:

— Com relação ao tipo do sapato não discuto mais. São idênticos e pronto. Mas a cor, Zé, como é que você pode saber da cor?

Zé não se dá por vencido:

— Eu sei.

— Sabe como?

— Eu sinto, companheiro.

O argumento fora acachapante, Azedinho levou preciosos segundos para se recuperar. E falou já enternecido, era azedo mais no nome:

— Então compra, companheiro, compra.

E leva um "não" redondo.

— Compro não, companheiro. É muito caro. De jeito nenhum. É contra a linha do Partido. Prefiro trocar de ponto. Não ver mais o sapato. Fugir da tentação. Já resolvi.

Mas Azedinho volta à carga. É persuasivo:

— Compra, Zé. Que mal pode fazer? Nessa vida que a gente leva... Olha, amanhã a repressão pode pegar a gente e a gente tá mortinho da silva. Deixa de bobagem, compra, Zé, compra. Deixa de ser stalinista...

Soou como um insulto e um desafio. É, morrer podia morrer, estava preparado, mas stalinista era demais. Iria pensar no assunto. Despediram-se.

Duas sextas-feiras mais tarde, Zé chegou mais cedo para experimentar o sapato. Ainda não bem decidido, já internamente resolvido. Ficou uma beleza no pé. Sairia calçado para surpreender o companheiro que já vinha chegando. Ia acenar para ele quando um carro dá uma violenta freada e dele saltam três homens que imediatamente subjugam Azedinho, que não tem sequer tempo de esboçar reação de fuga. Alguém caiu e entregara o companheiro. A repressão o seguiu, sabia que iria encontrar caça mais grossa, embora não soubesse quem.

— Fala, cachorro, comunista sem-vergonha, cadê o outro?

Azedinho tenso, a metralhadora na cara, os braços já algemados nas costas, meio no chão, olhando para a sapataria, responde tranquilo:

— Não vim encontrar ninguém. Só estava passeando.

Apanha ali mesmo. O sangue escorreu no rosto.

— Fala, filho da puta. Quer morrer aqui mesmo?

— Azedinho repete:

— Não vim encontrar ninguém...

Uma violenta porrada na boca impede-o de terminar a frase.

— Leva o filho da puta pro quartel. Vamos ver se lá ele fala ou não fala — comandou o chefe.

Não falou.

Zé Raimundo, perdida sua principal ligação, acabou caindo ao tentar restabelecer contato com o Partido. O aparelho estava podre e o DOI-CODI não teve dificuldades em prendê-lo.

Também não falou. Sofreu toda sorte de tortura. Choque elétrico, caldo, pau-de-arara, cadeira do dragão, e nada. Sequer informou seu verdadeiro nome. Só falava o nome que inventara: "Me chamo Rick Casablanca." E mais não disse.

Sem receber o telefonema semanal, Terezinha desesperava-se:

— Ele tá preso, Marcello. Eu tenho certeza. A gente combinou: duas semanas sem telefonar e era pra te procurar, que ele caiu.

Despachei *habeas corpus* para todas as autoridades de terra, mar e ar, como gostava de a elas se referir o dr. Sobral Pinto. O *habeas corpus* não soltava, abolido que fora pelo AI-5, mas a autoridade coatora, ao responder que o preso não tinha direito à medida, revelava sua prisão e muitos assim se salvavam.

Coincidentemente, Azedinho e Zé Raimundo estavam presos no Barro Branco. E naturalmente não sabiam. A regra era a incomunicabilidade. Mas Azedinho, preso há mais tempo, já saía para depor na Auditoria Militar e por isso já lhe dispensavam o capuz que cobria completamente a cabeça dos presos. Numa dessas saídas, cruzou com uma turma de presos ainda encapuzados. Não reconheceu ninguém, embora ficasse atento aos corpos, ao modo de caminhar. Quem sabe não identificava alguém. No fim da fila reconheceu os sapatos do ultimo preso e murmurou entre dentes:

— Oi, Zé, deixa comigo.

— Zé não: Rick Casablanca.

Nessa mesma tarde, Azedinho me revela, na Auditoria, que Zé Raimundo estava no presídio de Barro Branco e atendia pelo codinome de Rick Casablanca.

Dia seguinte, impetrei, no Superior Tribunal Militar, *habeas corpus* em favor de Rick Casablanca e pouco tempo depois quebrava a incomunicabilidade do guerreiro.

Ficou feliz ao ver-me, embora procurasse disfarçar com um forte aperto de mão e um solene "Como vai o senhorr, doutorr?", carregando em erres. E logo querendo saber notícias de Terezinha e das crianças. Alguém mais caíra? Como é que estavam as coisas? Terezinha estava bem, animosa, corajosa como sempre, as crianças também, muita gente caindo, a barra pesada, mas a luta continuava.

Zé se acalma. A expressão se torna menos tensa. A visita terminou. Ele se levanta e pergunta:

— Tem algum cinema levando *Casablanca*?

CAPÍTULO 7

Atuação no Congresso Nacional

Campos santos
Mas eles queriam o bem!

A abertura política iniciada em meados dos anos 1970, no governo do general Ernesto Geisel, permite o retorno ostensivo da oposição e inaugura uma etapa decisiva na luta pela retomada do estado democrático. Em novembro de 1978, Marcello Cerqueira foi candidato a deputado federal pelo Rio de Janeiro na legenda do Movimento Democrático Brasileiro (MDB). Ligado ao PCB, ele se elegeu e assumiu o mandato em fevereiro do ano seguinte. Na Câmara, fez parte do chamado grupo "autêntico", organizado em 1971, com integrantes da ala mais à esquerda do partido.

Foi um momento de grande afirmação para Marcelo como advogado, parlamentar e cidadão. Mas o deputado tomou posse com um gosto amargo que o impediu de viver aquele momento em toda a sua plenitude: a morte de seu pai durante a campanha eleitoral.

A atuação do deputado Marcello Cerqueira foi orientada sempre pela diretriz política que unificava as oposições no Congresso e fora dele: a luta pela democracia. Seu mandato acompanhou as questões políticas mais importantes do período e refletiu as mudanças na conjuntura do país até 1982. Não por acaso, ele terminou seu mandato pelo PMDB, partido que ajudou a fundar após a implantação da reforma partidária patrocinada pela Ditadura, cujo objetivo era dividir a oposição em vários partidos e, consequentemente, enfraquecê-la.

Como era praticamente impossível para um deputado de oposição, alinhado à esquerda, propor ou aprovar projetos de lei, Marcello dedicou-se a atuar junto à sociedade, apoiando os movimentos populares, expressando reivindicações sociais ao Estado e servindo como mediador entre associações civis e o poder público.

"Em minha ação parlamentar procurei dar relevo especial a demandas dos trabalhadores, de cuja luta, notadamente em movimentos grevistas, participei. Meus pronunciamentos são um intento de levar ao debate parlamentar as reivindicações, quando não as perseguições sofridas pelas mais diversas categorias de assalariados e suas lideranças", explica Marcello na prestação de contas do mandato.[35]

35 Cerqueira, 1981, p. 8.

Marcello fez inúmeros pronunciamentos da Tribuna da Câmara abordando temas diversos, desde a defesa de movimentos reivindicatórios de rodoviários, metalúrgicos, professores, médicos e profissionais da área de saúde, bancários, trabalhadores em energia elétrica e na construção civil, funcionários públicos e lavradores, a sofisticadas questões jurídicas e importantes debates sobre o direito eleitoral, liberdade sindical, o problema crônico do racismo e a violência contra a mulher, entre outros temas.

Também denunciou a situação de extrema violência vivida pela cidade do Rio de Janeiro já naquele momento, suas origens — as desigualdades de classe, a humilhação social, o massacre consumista da população e a impunidade de setores do aparato repressivo ligados ao crime organizado — e a tentativa, pela direita, da manipulação política do fenômeno.

Anistia "ampla, geral e mesquinha"

A discussão sobre a anistia dominou a primeira metade do mandato do deputado Cerqueira. Mesmo sendo um entusiasta da medida, Marcello denunciou o caráter restrito da abertura promovida pelo regime e os casuísmos que a definiram. O lema da campanha pela anistia aos presos e perseguidos políticos do regime militar era "Anistia ampla, geral e irrestrita", mas, para ele, a anistia foi "ampla, geral e mesquinha", por não criminalizar os torturadores. Estes ficaram impunes e os opositores já haviam sido punidos.

36 Entrevista concedida a Paula Spieler em 19 de setembro de 2012. In: Spieler; Queiroz, 2013.

"Tecnicamente os torturadores não foram anistiados. Qualquer advogado criminalista diz isso com muita convicção", relata, em entrevista. Ainda assim, foi o acordo possível para aquela conjuntura. "Quando foi promulgada a Lei de Anistia, a porta da ditadura foi arrombada."[36]

Como vice-líder do PMDB, teve a oportunidade de protestar contra a censura ao filme *Pra frente Brasil*, que mostrava a violência da repressão e da tortura acontecendo nos porões do regime militar ao mesmo tempo em que o governo comemorava o chamado "milagre econômico" e o povo vibrava com a vitória brasileira na Copa do Mundo de Futebol, realizada no México. Dirigido por Roberto Farias e lançado em 1982, o filme desagradou a torturadores e seus aliados, que jamais aceitaram conviver com a liberdade de expressão e a cultura inovadora do país.

No plano internacional, Cerqueira fez parte da delegação que representou o Congresso brasileiro na 68ª Conferência da União Interparlamentar que se reuniu em Havana, em setembro de 1981. Na tribuna da Câmara, saudou a eleição do socialista François Mitterrand como novo presidente da França e manifestou o apoio ao povo e ao governo da Nicarágua diante das constantes ameaças de Ronald Reagan, além de prestar irrestrita solidariedade aos vitimados pelos regimes ditatoriais no Chile, no Uruguai e na Argentina.

Membro da Comissão de Constituição de Justiça da Câmara durante todo o seu mandato, ele também participou ativamente de comissões mistas e especiais do Congresso que apreciaram as mensagens oriundas do Executivo. Nessas funções, entre várias causas que defendeu, pôde combater o casuísmo do voto vinculado, recurso do regime para condicionar as eleições de 1982. Também participou de uma comissão formada exclusivamente pelos deputados advogados para propor uma reforma à Constituição de 1967 e redigiu a emenda que restabeleceria as atribuições do Poder Legislativo para tal fim, mas a emenda foi derrotada pela maioria governista do Congresso. A Carta então vigente, internalizando os conceitos da segurança nacional e a restrição das garantias fundamentais, institucionalizava o regime militar e estabelecia as emendas constitucionais como competência exclusiva do Poder Executivo. Durante o seu mandato e nos anos seguintes, Marcello Cerqueira se empenhou vivamente na luta por uma Constituição democrática, até que a Assembleia Nacional Constituinte, instalada no Congresso Nacional em fevereiro de 1987, começou a elaborar a Constituição promulgada em 1988, que marcou definitivamente a redemocratização do país, após 21 anos sob regime militar.

A face oculta do regime militar

Dois outros temas tiveram especial importância no mandato do deputado federal Marcello Cerqueira: a lei de estrangeiros e os atentados políticos.

Ele, que havia sido vítima da repressão violenta aos dirigentes da UNE em 1964, teve atuação destacada na defesa de Javier Alfaya, jovem presidente da entidade, eleito em 1981. Nascido na Espanha e criado no Brasil, Alfaya estava ameaçado de expulsão do país pelo Ministério da Justiça, sob a alegação de que era um estrangeiro em situação irregular. Como presidente da comissão mista do Congresso Nacional incumbida de examinar o projeto de lei enviado pelo Poder Executivo, que dava nova redação à lei de estrangeiros, o deputado o condenou como uma manifestação de atraso cultural contra os estrangeiros em geral, e particularmente contra missionários, comunidades científicas e refugiados do Cone Sul. A lei seria, segundo ele, a expressão do entendimento entre as ditaduras sul-americanas para combater inimigos comuns. O debate ganhou as ruas e a campanha mobilizou amplos setores da opinião pública. Marcello redigiu um projeto alternativo das oposições, junto com o colega Roberto Freire, mas o governo impôs a sua visão e a aplicação da lei acabou por evidenciar os objetivos denunciados.

Quanto aos atentados políticos, o próprio Marcello foi vítima, por duas vezes. Em julho de 1980, quando ele presidia a Comissão que debatia o tema, uma bomba explodiu seu automóvel na porta de sua casa, no Rio de Janeiro. O Departamento de Ordem Política e Social (Deops) e o Instituto de Criminalística do Rio de Janeiro concluíram, em laudo, que a explosão ocorrera porque uma fagulha atingiu a gasolina no tanque suplementar do veículo. Marcello contestou a versão das autoridades, afirmando que não havia gasolina no tanque do automóvel. O segundo foi em 1981, já no governo do general João Baptista Figueiredo, quando a chamada linha dura do regime tentava as últimas cartadas contra o processo de abertura escolhendo como alvos os símbolos da luta popular e da redemocratização do país. Na madrugada de 1º de abril daquele ano, aniversário do golpe de 1964, uma bomba explodiu na janela do seu quarto. Felizmente a explosão não feriu sua esposa, que dormia sozinha no quarto de casal, nem suas duas filhas que também estavam na casa. "Eles sabiam que eu estava em Brasília; sempre estou aqui, há dois anos, todas as terças-feiras", disse Marcello, num discurso emocionado, horas após o atentado, na Tribuna da Câmara. "Com esse ato ignóbil e covarde, quiseram atingir-me onde sou mais vulnerável. Meu ponto fraco, que é o de qualquer um: a família."[37]

37 Cerqueira, 1986, p. 35.

Naquele momento, o que era a face ostensiva dos tempos do fascismo ocorria na ditadura brasileira como face oculta do regime. "São os mesmos: ontem, torturando e assassinando; hoje, sequestrando, incendiando bancas de jornais, jogando bombas", denunciou na tribuna. "Primeiro foi o atentado envolvendo o meu carro. Esta madrugada, escolheram a janela do meu quarto, onde dormia minha mulher, numa casa com duas crianças, uma de colo. O próximo poderá ser pessoal, porque haveria um cadáver barato, o cadáver de um deputado da oposição, advogado de presos políticos, o qual durante 15 anos combateu a dura face da repressão; que sabe, que designa, que conhece, pois foi testemunha, que nomeia os homens que torturam, sequestram, mataram, acumpliciadas com o governo da República."[38]

38 Cerqueira, 1986, p. 31.

Para o deputado, os autores do atentado pretendiam não apenas desviar o advogado oposicionista de suas atividades, mas também atemorizar todos aqueles que se opõem ao autoritarismo. E criar um novo clima de instabilidade política que justificasse o recrudescimento da repressão. "Se, no passado, o terror era exercido no interior dos aparelhos repressivos, agora, a abertura mudou essa equação. Na clandestinidade, essas forças exercem o terror, no intento de criar pânico generalizado, buscando o caminho do golpe."[39]

39 Cerqueira, 1986, p. 31.

Nesse momento, o deputado fez um apelo ao presidente Figueiredo para que enfrentasse a questão como fizera Geisel anos antes, ao demitir Silvio Frota e debelar a linha dura do governo. "Não adianta escamotear a questão principal. É impossível a coexistência de dois centros de poder: um, formulando uma política de abertura, ainda que limitada; outro, exigindo que o governo se incline à direita ou até que deixe de ser governo."[40]

40 Cerqueira, 1986, p. 32.

Marcello enxergava uma solução para colocar fim aos atentados: assegurar as franquias democráticas existentes, ampliando-as para enfrentar o golpe. "Diante dos reiterados atos terroristas, a própria abertura proposta pelo governo não comporta mais as mesmas bases de aliança que asseguram os horrores da ditadura. E aqui repousa a patologia da abertura: é impossível dar-lhe curso consequente sem agregar, em novo pacto político, forças sociais ativadas pelo início do próprio processo."[41]

41 Cerqueira, 1986, pp. 32-33.

A análise do parlamentar naquele forte pronunciamento antecipava as contradições e a derrocada do regime militar, que ficaria ainda mais exposto um mês depois do ataque à sua residência. No desastrado episódio do Riocentro durante o show em comemoração ao 1º de Maio, a bomba explodiu acidentalmente no colo do sargento Guilherme Pereira do Rosário, dentro do carro que estava estacionado do local, provocando sua morte. Com o fracasso do atentado — que obteve repercussão nacional e internacional — e a revelação da participação de militares, a chamada linha dura sofreu seu maior golpe, desmoralizando-se dentro do governo, que foi cada vez mais impelido a prosseguir o processo de abertura.

Nas eleições estaduais de 1982, as oposições, tendo à frente o PMDB, elegeram nove governadores, dois em importantes colégios eleitorais, como São Paulo, Minas Gerais e Paraná, e formaram uma bancada federal de duzentos deputados. No Rio de Janeiro, Leonel Brizola, do PDT, foi eleito governador. Com a nova correlação de forças, teve início uma nova fase na luta pela derrubada do regime, que culminaria com a eleição de Tancredo Neves para a Presidência da República, em 1985, pelo colégio eleitoral. Marcello não conseguiu a reeleição, mas continuaria sua atuação política pela redemocratização do país.

A campanha de 1985

Com o término do mandato, em janeiro de 1983, Marcello voltou à advocacia e começou a lecionar no curso de Direito, da Faculdade Cândido Mendes. Dois anos depois, no início do governo de José Sarney, em 1985, foi nomeado consultor jurídico do Ministério da Justiça, na gestão de Fernando Lira. Transferiu-se para Brasília, onde passou a atuar como o principal articulador do Partido Socialista Brasileiro (PSB), na qualidade de secretário-geral.

Naquele mesmo ano foi lançada a sua candidatura à prefeitura do Rio de Janeiro pelo PSB, em chapa que tinha como vice o jornalista João Saldanha, do Partido Comunista Brasileiro (PCB) e que conseguiu um fato raro na política brasileira, a aliança entre o PCB e o PCdoB, adversários históricos. Ele achava que João Saldanha deveria encabeçar a chapa, naquela que seria a primeira eleição direta nas capitais após o fim da ditadura. Mas, por questões de saúde, Saldanha propôs ser candidato a vice. No início da campanha, a chapa PSB/PCB/PCdoB foi apelidada de *Challenger*: "Os eleitores cabem num ônibus e seus votos vão entrar em órbita", comentava uma nota no *Jornal do Comércio* (21/8/1985). Antigos companheiros de luta política, como Paulo Alberto Monteiro de Barros, defendiam a união em torno do candidato que tinha melhores chances de vitória: Saturnino Braga, do PDT. Conhecidos militantes da esquerda afirmavam que a candidatura de Cerqueira e Saldanha ajudava a direita. Aos poucos, dissidentes do PMDB (cujo candidato era Jorge Leite), como Sergio Cabral (pai), Heloneida Studart, Raimundo de Oliveira e Godofredo Pinto, aderiram à campanha de Cerqueira e Saldanha. "Nossa proposta é resgatar a identidade do Rio de Janeiro e a defesa da estabilidade do processo de transição política que o país está atravessando",[42] afirmava Cerqueira, defendendo que os comunistas e socialistas aproveitassem a campanha para lançar teses a serem discutidas na Assembleia Nacional Constituinte.

42 Jornal dos Sports, 22/08/1985.

No final de agosto, a chapa de Cerqueira e Saldanha estava em sétimo lugar, com 1,4% das intenções de voto, segundo pesquisa publicada no *Jornal do Brasil* (31/08/1985). "Outubro ou nada!", proclamou Marcello. "Minha candidatura é a da Nova República e a do Brizola é a do Estado Novo", afirmava ele a respeito da liderança do brizolista Saturnino Braga, com 22% dos votos. Com o lema "Pra unir, pra valer, pra vencer", a campanha começou a crescer nas ruas e chegou às eleições de novembro em quarto lugar, com quase 7% dos votos. Saturnino foi o primeiro, com cerca de 39%. Pela subida nas pesquisas, se tivessem mais alguns dias, poderiam ter vencido, acredita Marcello. De qualquer forma, ele avalia a experiência como vitoriosa: "a campanha realizou aquilo que prometeu, afirmou a democracia como valor universal e defendeu os direitos da população por uma vida melhor: mais cidadania, menos humilhação social".[43]

Em 1987, o PSB ingressou no governo de Saturnino e Marcello assumiu a assessoria política da Secretaria para Assuntos Especiais, onde permaneceu por um ano.

Em 1986, Marcello Cerqueira se candidatou à Assembleia Nacional Constituinte e foi um dos dez candidatos mais votados do estado do Rio de Janeiro. Porém, a legenda socialista não obteve o coeficiente eleitoral suficiente para elegê-lo. "Ganhar e não levar", como ele diz, foi muito frustrante.

Teriam sido de inestimável importância naquele momento a sua trajetória política e o seu conhecimento como constitucionalista, que alguns anos depois lançaria uma obra de referência, *A Constituição na História*. Para montar esse alentado compêndio de 910 páginas, ele consultou cerca de quatrocentos livros, trabalhando nisso "a vida toda e mais um ano". Não por acaso, a primeira epígrafe é uma frase de Marx: "Os homens fazem sua própria história, mas não em circunstâncias escolhidas por eles."

Marcello fez mais duas tentativas para voltar à atividade parlamentar. Em 1994, já pelo Partido Popular Socialista (PPS), ele obteve uma suplência na Câmara dos Deputados. Em 1996, candidatou-se a vereador no Rio de Janeiro, sem sucesso. "O meu caminho é como as pessoas me veem", diz ele, que voltou a dedicar-se integralmente ao ofício de advogado especialista em direito constitucional.

(G.B.)

[43] Cerqueira, 1994b, pp. 21-22.

Campos santos

A Pedro Simon

Campos,
Campos santos.
Santos campos
Esgotam prantos
De lágrimas
Sem prantos.
Campos campo
Santos santo
De prantos
Acalanto
De lágrimas
De espanto.

Mas eles queriam o bem
À memória do deputado Djalma Marinho

Ao fechar os canais elementares de participação política, generalizar a violência contra a população, perseguir cruelmente os que se opunham ao governo, a ditadura compeliu os vitimizados a adotar uma ação política que, na origem, não cogitavam. A ilegitimidade do regime e sua ação violenta é que geraram uma contraviolência inaceitável, mas perfeitamente compreensível. A responsabilidade moral e política pela resistência armada, forma então equivocada de luta, é dos que romperam a legalidade democrática em 1964, e marcharam, de rota batida, para a mais terrível repressão de nossa história, desde os capitães do mato.[44]

[44] Cerqueira, 1997, p. 163.

As Comissões da Verdade abriram, a duras penas e atrasadas de anos, clareiras sobre a repressão da ditadura militar, esclareceram e denunciaram episódios em que agentes do Estado prenderam, sequestraram, torturaram, mataram e "desapareceram" com adversários do regime, da resistência armada ou não.

Naturalmente, a questão da anistia recíproca ocupa lugar de relevo na discussão. E ela tem duas faces que, por diferentes caminhos, se encontraram em 1979.

De um lado, a abertura "lenta, gradual e segura", formulada ainda no desastrado consulado do general Geisel, iria desaguar na reforma partidária, pois um futuro confronto eleitoral MDB *versus* Arena seria resolvido com uma acachapante derrota para a direita. No projeto Geisel, algum tipo de anistia teria de ser concedida. A modificação da Lei de Segurança Nacional (Lei 6.620 de 17/12/78), que revogava o Decreto-lei 898, baixado com o AI-5, também posteriormente revogado, diminuía a pena dos já condenados pela Justiça Militar e apontava rumos. (A discussão sobre os efeitos futuros dessa lei sobre os condenados por "delito de sangue" e *excluídos* da anistia recíproca não cabe nestas linhas. Como curiosidade, assinalo que os "banidos" que teriam cometido os mesmos "delitos de sangue" foram anistiados; anistia, melhor repetir, que *não* alcançou aqueles então presos pelos mesmos "crimes".)

E algum tipo de anistia deveria ser concedido para que os entes políticos que se encontravam exilados e cassados pudessem voltar e organizar novos partidos, quebrando a lógica da disputa eleitoral binária. Já no derradeiro consulado da ditadura, o governo iria enviar o incrível projeto que cassava o MDB e abria caminho para a reforma partidária. Do lado das forças democráticas, cresciam as oposições no reclamo de uma anistia que fosse "ampla, geral e irrestrita". Não foi.

Vice-líder do MDB na Câmara dos Deputados e, por acaso, velho amigo do conceituado jornalista Oyama Telles, então assessor de imprensa do ministro da Justiça Petrônio Portella, responsável por "negociar" com as oposições, especialmente o MDB, a OAB, a ABI, em uma frente que iria alcançar até a CNBB, o que me permitiu aproximação com o ministro e, animado pelo dr. Ulysses, alguma participação nas "negociações", mas sem qualquer protagonismo.

Os comitês pela anistia se multiplicaram por todo o país e já realizavam passeatas e comícios, aqui e ali reprimidos no ocaso do governo do general Figueiredo, truculento e desinteressado ditador, que já demonstrava claramente a fadiga material da longa e extenuante ditadura, com a inflação alcançando dois dígitos e já rompida a aliança dos militares com o patronato que sempre lhe deu cobertura e usufruiu as regalias dos governos de exceção. Aqui, os entreveros eram com a polícia do governador Chagas Freitas, nominalmente filiado ao MDB, mas fiel serviçal das ditaduras. A linha-dura se assanhou e recorreu ao terrorismo das bombas (em minha casa em Santa Teresa foram duas) e atentados diversos.

As "negociações" alcançaram algumas poucas concessões do governo, que afinal remetia o anteprojeto de lei (surpreendentemente) às vésperas do recesso congressual do meio do ano. O interregno favoreceu as oposições e o MDB, em campanha nacional liderada pelo saudoso senador Teotônio Vilela, que visitou todos os presídios do país em caravanas memoráveis. Constatamos não apenas a precariedade da carceragem como especialmente, por outro lado, o ânimo de luta dos presos políticos, que, à falta de outros meios de participação, ofereciam suas vidas em greves de fome; greves para valer e não poucos viram passar perto o trem da morte.

> [O sacrifício dos presos políticos iria gerar um paradoxo com o governo. Em audiência reservada com o ministro Petrônio Portella, até ele levei a advogada Eny Raimundo, presidente do combativo CBA, e o médico João Carlos Serra, presidente do Sindicato dos Médicos do Rio de Janeiro, para significar a disposição de luta dos presos em greve de fome e o risco de morte, além dos padecimentos relatados pelo presidente do Sindicato. Na saída, Oyama me pediu que ficasse um pouco mais, pois o ministro queria um particular comigo. Era para "dividir", segundo expressão do próprio, com as oposições a responsabilidade pela vida dos grevistas. Nossa intransigência no acordo, disse, seria também responsável pela vida dos grevistas. Contando,

tantos anos depois e sabendo que as vidas foram preservadas, é difícil imaginar o impacto que o argumento astuto provocou no deputado. Registro que entre as visitas aos presos causou perplexidade a concordância do senador Dinart Mariz, reacionário de tradicional família potiguar de políticos e cangaceiros, em visitar os presos na Frei Caneca, que lá foi conosco e com a atriz Bete Mendes, e que, na saída declarou, alto e bom som para os repórteres que o aguardavam: "Aqui não tem terrorista, são inimigos do governo!"]

Afinal, o anteprojeto relatado pelo (me perdoem os leitores) famigerado Ernani Sátiro foi à votação no Congresso Nacional. Alguns historiadores insistem em mistificar a votação da anistia recíproca afirmando que a resistência a ela foi tal que a anistia teria sido aprovada por escassa maioria. É falso. Não sei se por displicência ou má-fé, incompatíveis ambas com a função de historiar fatos, insistem nessa tolice. O anteprojeto foi *aprovado* simbolicamente pelas duas casas do Congresso Nacional, ressalvadas as emendas a ele. É aí que se dá o embate. Redigida por Raphael de Almeida Magalhães em minha casa em Brasília e assinada pelo deputado Djalma Marinho, arenista liberal, jurista de monta, cidadão de vida impecável, a emenda que ampliava os efeitos civis da anistia e abrigava os excluídos por "delitos de sangue" perdeu por míseros cinco votos. (Registro que até o deputado Magalhães Pinto, antigo governador de Minas Gerais e um dos articuladores e fruidores do golpe de 1964, votou com a emenda do dr. Djalma.)

[Manda" e "ditadura", antes e depois do AI-5, escarnece os que foram mortos imediatamente após o golpe, os cassados, os exilados, os presos e os torturados antes do AI-5, com especial relevo para o meu velho e saudoso amigo Gregório Bezerra, guerreiro da liberdade.]

Esse é o ponto destas notas. A anistia recíproca expressou a correlação de forças da época. Fomos até onde foi possível com as forças que então dispúnhamos. Não se faria Nuremberg com Hitler no poder.

Sem embargo disso e mesmo considerando a possível modificação de forças atualmente e o possível empenho dos governos democraticamente eleitos em mobilizar suas alianças no Congresso para modificar a lei de anistia, convém assinalar que os presos políticos pelos chamados "delitos de sangue" não foram anistiados. Com isso, não quero diminuir o alcance da anistia, que devolveu ao país seus exilados com direitos políticos e libertou da prisão a quase totalidade dos que cumpriam pena. E nem dos que por ela bem e bravamente lutaram. Longe disso. Quero apenas significar que os apenados por "delitos de sangue" foram libertados após ingentes esforços dos seus advogados e a boa vontade do Superior Tribunal Militar em adequar a pena que cumpriam na antiga Lei de Segurança Nacional ao mesmo delito no direito penal comum. O general Tasso Fragoso, ministro do STM e matemático de boa vontade, munido de uma régua de cálculo (o tempo não conhecia a calculadora), diminuía as penas, que iriam libertar os cativos não abrangidos pela anistia recíproca.

Isso significa que os agentes do Estado que notória e confessadamente praticaram, para além da tortura, a morte dos adversários da ditadura, estão excluídos da anistia e podem ser levados a julgamento por seus crimes. Inútil apelar para o estatuto da prescrição. O Direito Internacional Público, arrimado em Convenções, como o Pacto de São José da Costa Rica, promulgado pelo governo brasileiro pelo Decreto 678/92, Convenções a que aderiu o Estado brasileiro, afasta a prescrição de crimes contra a humanidade, especialmente os cometidos por "delitos de sangue".

Entretanto, a história está a reclamar uma solução que encerre esse ciclo tenebroso que viveu o país. Se o liame que faz recíproca a lei de anistia é o entendimento amplo e abrangente da definição de "crime conexo", é suficiente uma simples lei modificando a lei de anistia de 1979 para estabelecer que a "conexão" não se aplica à relação entre agentes do Estado (torturadores) e suas vítimas. A partir de então, e judicializados, cada um que responda por seus crimes. É o que penso.

(Artigo para o *Jornal dos Economistas*, órgão oficial do Corecon — Conselho Regional de Economia/RJ — e do Sindecon — Sindicato dos Economistas do Estado do RJ —, 4/4/2014)

CAPÍTULO 8

Personagens inesquecíveis

A chave do parque
Incêndio na churrascaria
A chave do romance
A vida não é líquida
A foto e a história
Cabo Lyra
Leila Diniz

Ao longo da trajetória de Marcello Cerqueira, formou-se uma vasta galeria de personalidades memoráveis, em todas as áreas: da militância política à atuação como advogado, do jornalismo à literatura, da música à poesia. Aqui estão reunidos alguns exemplos, entre inúmeros personagens.

Este capítulo começa relembrando Paulo Alberto Moretzsohn Monteiro de Barros (1936-2008), jornalista, radialista, advogado, escritor, professor e político. Companheiro dos primeiros momentos da militância, das andanças no exílio e da construção de uma nova realidade nos anos seguintes, tornou-se mais conhecido do grande público pelo pseudônimo Artur da Távola. Um sonhador do impossível, que se foi muito cedo, aos 72 anos, mas deixou seus sonhos semeados. É para ele a crônica de Marcello Cerqueira, "A chave do Parque".

O texto seguinte, "Incêndio na churrascaria", traça um sugestivo perfil do "Senhor Justiça": Heráclito Fontoura Sobral Pinto (1893-1991). Anticomunista e católico fervoroso que ia à missa todas as manhãs, foi advogado de defesa dos líderes comunistas Luís Carlos Prestes e Harry Berger, presos em 1935, perante o Tribunal de Segurança Nacional, no Estado Novo. Tornou-se exemplo clássico nas faculdades de Direito a sua petição em defesa de Berger, barbaramente torturado por Filinto Müller, chefe de polícia na ditadura Vargas. Sobral exigiu do governo a aplicação do artigo 14 da Lei de Proteção aos Animais, em favor de tratamento humanitário para prisioneiros. Em 1955, fundou a Liga de Defesa da Legalidade, em defesa dos princípios democráticos no país, neutralizando a ação de alguns setores das Forças Armadas que tentavam bloquear a candidatura de Juscelino Kubitschek à Presidência da República. Em seguida, recusou o convite do presidente eleito para ocupar uma cadeira no Supremo Tribunal Federal. Seus embates contra a ditadura voltaram à carga com toda força após o golpe militar de 1964, e ele chegou a ser preso no dia seguinte ao anúncio do AI-5, em dezembro de 1968, com 75 anos. Defensor de centenas de perseguidos políticos, como Miguel Arraes, Mauro Borges e Francisco Julião, entre outros, foi o decano dos advogados que se dedicaram a essa missão, como vimos no Capítulo 6 deste livro. Já com 90 anos de idade, empolgou a multidão ao subir o palanque da campanha das Diretas, no Comício da Candelária, em 1983.

Em "A chave do romance", Marcello Cerqueira desvenda os personagens reais que foram retratados com nomes fictícios na trilogia *O espelho partido*, de Marques Rebelo. Entre eles, além do retrato de corpo inteiro do próprio autor, revelam-se nomes como Sobral Pinto, Carlos Lacerda, Gilberto Freyre, José Olympio, Oscar Niemeyer, Samuel Wainer, Alceu Amoroso Lima, Portinari, Lasar Segall e os escritores José Lins do Rego, Raquel de Queiroz, Manuel Bandeira, Graciliano Ramos, Nelson Rodrigues e Jorge Amado. Uma interessante contribuição ao estudo da obra do romancista, contista, novelista, poeta, jornalista e cronista, que pontuou sua produção literária pela incessante renovação a partir dos legados de Manuel Antônio de Almeida, Machado de Assis e Lima Barreto. Depois desses três escritores, foi ele o mais apaixonado romancista da vida carioca, principalmente no contexto das classes populares. Descreveu a vida urbana do Rio de Janeiro como integrante da geração que fez o "Romance de 30", apresentando uma visão crítica das relações sociais e a influência da realidade socioeconômica sobre os indivíduos.

Em "A vida não é líquida", destacam-se as lembranças que Marcello traz de Dolores Duran (Adileia Silva da Rocha, 1930-1959) e suas canções "impregnadas de sofrimento". O texto, comentando uma biografia de Rodrigo Faour, remete ao livro *Beco das garrafas*, do próprio Marcello, que dedica saudosas páginas à inesquecível cantora e compositora. Canções que "guardam o romancismo de uma época, na lágrima e no amor". O autor testemunhou a noite em que Ella Fitzgerald, em viagem ao Rio, foi à boate Bacará para ver Dolores cantar e afirmou, "para quem tivesse ouvidos de ouvir", que nunca antes havia presenciado melhor interpretação de "My Funny Valentine". Ele conta também que a cantora carioca já colhera entusiásticos aplausos de Charles Aznavour, que a ouviu cantar "Viens", no Little Club. Dolores faz parte deste capítulo pela grande admiração que o autor sempre lhe dedicou, uma amizade acima de qualquer ideologia. "Marcello é um amor de rapaz, mas esse negócio de comunismo estraga ele", comentou ela certa vez, depois de abandonar no meio uma turnê pela União Soviética ("Pra nunca mais voltar. Deus me livre!").

O personagem do breve artigo "A foto e a história" é Tancredo de Almeida Neves (1910-1985). E a lição transmitida a Marcello, contada nesse texto, tem a simplicidade da sabedoria acumulada no dia a dia por esse grande homem que protagonizou momentos decisivos na história do nosso país. Depois de ser preso pelo Estado Novo, em 1937, perdendo o mandato de vereador de sua cidade natal, dedicou-se à advocacia, chegando a atuar como promotor público, e trabalhou também como empresário. De volta à política em 1947 como deputado estadual, foi deputado federal em 1950, ministro de Getúlio Vargas até o suicídio do presidente, em 1954, primeiro-ministro do Brasil no regime parlamentarista em 1961, governador de Minas pelo PMDB em 1982, um dos líderes do movimento pelas Diretas e, finalmente, presidente eleito, ainda pelo voto indireto, em 1985. Depois de combater vitoriosamente truculentas infecções nas tramas da política nacional, uma infecção microscópica impediu que ele tomasse posse, mas seu trabalho hábil e persistente possibilitou a todos nós, brasileiros, virar a página da ditadura e reconstruir a democracia.

O texto seguinte, "Cabo Lyra", esclarece detalhes do episódio citado acima, destacando a importância do trabalho de Fernando Soares Lyra (1938-2013) para o término da ditadura. Fundador do grupo autêntico do MDB, na Câmara, nos anos de chumbo, articulou a reaproximação dos grupos oposicionistas e abriu caminho para a candidatura de Tancredo Neves, que ele percebeu ser o homem indicado para "levar os militares ao ponto de ônibus". Deputado federal por oito mandatos consecutivos, de 1971 a 1999, integrou a Constituinte, em 1987 e 1988. Convidou Marcello Cerqueira para a função de consultor jurídico do Ministério da Justiça, do qual foi titular em 1985 e 1986, durante o governo de José Sarney. Em 2006, foi um dos principais articuladores da campanha vitoriosa de Eduardo Campos, neto de Miguel Arraes, para governador de Pernambuco.

Por fim, o texto "Leila Diniz" é um empolgante depoimento sobre a atriz (Leila Roque Diniz, 1945-1972), publicado em obra coletiva com o mesmo título. Em seu livro *Memorial, quase uma autobiografia*, Marcello Cerqueira fez o seguinte depoimento:

> Fui seu amigo, conheci-a em família, inclusive pelo testemunho de sua admirável irmã Baby, a cientista política Ely Diniz, mãe de Juliana, minha filha que já me deu uma neta [Posteriormente, Juliana deu-me gêmeos, completando três netos]. Todos sabem o que Leila representou para a liberação das mulheres de sua geração, e foi, em muitos aspectos, uma antevisão da "nova mulher" de que já no início do século falava Alexandra Kollantai. Perseguida após entrevista que concedera ao *Pasquim* (órgão da imprensa alternativa que receberia meu patrocínio por muito tempo), e em função dela, é baixada uma nova lei de censura, que a imprensa chamaria de "Lei Leila Diniz". Escapou de ser presa, e esforços que desenvolvi junto ao então ministro da Justiça permitiram um acordo: ele suspendia a ordem de prisão e Leila teria de depor. O que foi feito. Leila morreu, em 1972, em Nova Delhi. A mim me coube lá ir e resgatar seus restos mortais, cremá-los e sepultá-los no Brasil.[45]

[45] Cerqueira, 1994b, pp. 15-16.

Muitos outros personagens não menos importantes povoam os capítulos deste livro. Nomes como Adão Pereira Nunes, Aldo Arantes, Antônio Evaristo de Moraes Filho, Arnaldo Jabor, Barbosa

Lima Sobrinho, Cacá Diegues, Cândido Mendes, Carlos Eduardo Dolabella, César Guimarães, Ciro Kurtz, Darcy Ribeiro, Duarte Pereira, Francisco Teixeira, George Tavares, Heleno Fragoso, Herbert José de Souza, Humberto Jansen, Jacob Kligerman, João Goulart, João Saldanha, Jorge Amado, José Leventhal, José Serra, Juscelino Kubitschek, Leonel Brizola, Manoel Fiel Filho, Manoel João, Márcio Braga, Modesto da Silveira, Oduvaldo Vianna Filho, Paulo Evaristo Arns, Rogério Monteiro "Senador", Rosa Maria Cardoso da Cunha, Rubens Paiva, Técio Lins e Silva, Teotônio Vilela, Ulisses Guimarães, Vladimir Herzog, Wladimir Palmeira e inúmeros outros, com quem Marcello Cerqueira compartilhou valiosas experiências de vida.

(G.B.)

A chave do Parque

> *A alegria não está nas coisas, está em nós.*
> *(Goethe)*

À memória do Paulo Alberto

Adotei um menino de 4 pra 5 anos. Estuda em colégio de tempo integral e foi bem apreciado pela professora, na avaliação anual que faz de toda classe. Fiquei feliz.

Hoje, depois do almoço de fim de ano, que reúne os comuníadas na casa de Vera e Zelito no Cosme Velho, fui vê-lo brincar na pracinha do Bairro Peixoto. Correu para mim, alegre, os braços já estendidos para o abraço e gritando, a bom gritar: "Vovô!" E abalou-se a correr, a pular, a brincar.

E ali, na pracinha, veio-me à lembrança o rostinho triste de minha filha Juliana, que então regularia com meu neto, ao ver que o parque de diversões que lhe prometera estava fechado. Usei um recurso: Vamos lá à casa do moço que tem a chave do parque. E o rostinho se fez alegre, pois assim são as crianças. E somos todos nós.

O "moço" que tinha a chave do parque era Paulo Alberto Moretzsohn Monteiro de Barros. Mas já usava o nome de Artur da Távola por necessidade de serviço. Explico o porquê. Samuel Wainer, então dono do jornal Última Hora, queria dar-lhe uma coluna diária, mas Paulo Alberto, cassado pela ditadura, vinha do exílio em Santiago e a boa cautela recomendava o uso de um codinome. A sugestão foi do bom Samuel e a escolha do nome do próprio. E iniciou uma nova carreira que o consagrou no jornalismo e o levou ao Senado da República. Nascido em 1936, faria 76 anos no próximo 3 de janeiro (também aniversariam nesta data o filósofo Leandro Konder e o senador Luís Carlos Prestes). Deixou-nos cedo, muito cedo. "Para tão longo amor tão curta a vida" (Camões). Sobre Paulo Alberto ainda vou escrever: preciso de mais tempo, todavia. Mas já tenho um título provisório, soprado por Goethe: "Gosto daquele que sonha o impossível". Volto ao meu texto.

Felizmente, Paulo Alberto estava em casa e emocionou-se quando disse à minha filha: É esse o moço que tem a chave do parque. Paulinho era assim.

Juliana já me tinha dado uma neta, Gabriela, uma linda moça de 20 anos. Creio que fará carreira artística como sua saudosa tia Leila Diniz, a filha do Sol (sobre minha cunhada já escrevi e dei depoimentos). Só que minha neta será cantora, diferentemente da Tia, que não sabia cantar. E precisava? E Juliana, há contados oito meses, me presenteou em dose dupla com dois netos, Sofia e Felipe (o primeiro homem de minha ninhada: sim, ninhada, pois só tive gatas!).

Mas o dia já avançava pra noite e meu neto ainda queria brincar. Nada disso, segunda-feira tem aula e começa às 8 horas. E o levei para casa.

Curioso é que toda vida começa numa segunda-feira.

(2011)

Incêndio na churrascaria

Vejo a foto calcinada da Churrascaria Majórica e leio um comentário de discutível gosto: a Churrascaria virou churrasco.

Lembro-me da última vez que lá fui, acompanhando o saudoso dr. Sobral Pinto, que gostava do farto churrasco servido à la carte. Vínhamos de um longo e tedioso julgamento na 2ª Auditoria do Exército em que os clientes foram condenados a penas já prescritas em concreto. Menos mal.

O incansável Modesto da Silveira, santo pagão, ficou na Auditoria para caçar os alvarás de soltura.

Com relação aos comunistas rezava (religioso que era) o ensinamento divino que "odiava o pecado, mas amava os pecadores", desde quando defendeu, no Estado Novo do primeiro Vargas, o senador Luís Carlos Prestes.

Irascível e ranzinza, dr. Sobral, em privado, era um bom conversador. E torcedor do América Futebol Clube.

Durante muitos anos gozei de sua convivência.

Melhor de vida, nós já morávamos numa linda casinha geminada na rua Tobias do Amaral, ruela que começava e terminava na ladeira do Ascurra, nos altos do Cosme Velho e onde nasceu minha filha Juliana.

Dr. Sobral morava numa casa no final da rua Pereira da Silva, em Laranjeiras. Era meu caminho natural para o centro e me ofereci a levá-lo aos julgamentos de manhã na Justiça Militar.

Ao tempo do jantar na Majórica, eu já mudara para Santa Teresa em uma casa que teria sido construída por mestre Valentim para uma filha, e não mais dava a costumeira "carona" ao dr. Sobral, que, no dito jantar, comentou lembrar-se de quando o bairro recebeu uma leva de moradores: "no alto do morro, se sentiam mais seguros e livres da febre amarela". (Nessa casa, na década de 1980, fomos vítimas de duas bombas colocadas por terroristas inconformados com a "abertura" a que o regime, isolado, já se obrigava.)

Desassombrado, dr. Sobral requereu fosse o preso beneficiado pela lei de proteção aos animais: Harry Berger viveu em rigorosa incomunicabilidade em um cubículo de 2x1,5m no vão da escada da Polícia Central, incomunicabilidade que não poupou o senador Luís Carlos Prestes. Há vários registros da luta do dr. Sobral em defesa do altivo líder Luís Carlos Prestes. No jantar, contei que tinha pegado uma "carona" na defesa que ele fizera, no mesmo Tribunal de Segurança Nacional, do Harry Berger e requeri, ao Conselho de Justiça da Auditoria Militar, fosse estendida a um cliente, velho e negro, a lei do II Reinado que beneficiou os escravos sexagenários. Dr. Sobral gostou do remoque.

Também lembrei a defesa mais curta, contundente e comovente que alguém sustentara em julgamento militar. Dr. Sobral defendia, na Auditoria do Exército, em São Paulo, Anita Prestes, filha dileta do senador e da mártir Olga Benário, que ninguém ignorava ter sido executada pelos nazistas na câmara de gás em Bernburg, em 1942. Anita nascera em um campo de concentração. Por minha vez, eu defendia Lindolfo Silva, presidente da Contag, então na clandestinidade. Dr. Sobral assoma a tribuna e limita sua defesa a dizer, alto e bom som: "Egrégio Conselho, esta menina nasceu presa". E mais não disse. Não há como descrever o impacto da simples oração do dr. Sobral.

Só voltaria a vê-lo no palanque do comício monstro pelas diretas na Cinelândia.

A voz firme do velho advogado, sempre de terno preto, gravata preta, colete e chapéu da mesma cor, fizesse calor ou não, levou a multidão ao delírio ao dizer simplesmente:

— Todo poder emana do povo.

Não haverá incêndio capaz de apagar na memória dos tempos o nome do brasileiro Heráclito Fontoura Sobral Pinto.

(10 de janeiro de 2012. Publicado no livro *Coragem — Advocacia nos anos de chumbo*)[46]

[46] Mentor, 2014, p. 62.

A chave do Romance
À memória de Paulo Silveira

Marques Rebelo sucede a Machado de Assis, Manoel Antonio de Almeida (escreveria sua biografia em 1943 — *Vida e obra de Manuel Antônio de Almeida, biografia*) e Lima Barreto na linha do romance urbano carioca, mas em momento que a cidade passa por grandes transformações em virtude da crescente industrialização do país e de um mundo já em guerra.

Nos seus romances, aparece uma emergente classe operária, uma crescente classe média, além de empresários e banqueiros; sua pena fustiga a ditadura do Estado Novo (desde *Oscarina*, 1931, e *O espelho partido*, 1959) e sobre o Golpe militar de 64 (*O simples Coronel Madureira*), e revela a cidade em mutação e seus personagens com cotidianos sofridos, sensualidades e vícios.

Através da trilogia "O espelho partido" (*O trapicheiro*, 1959); *A mudança* (1962) e *A guerra está em nós* (1968), o *roman à clef* revela a vida do autor, dos seus amigos (muitos) e desafetos (não poucos) e assim constrói um romance urbano notável. Deixou inconcluso o que seria o quarto: *A paz não é branca*. A 3ª edição de *A Guerra está em nós*, Nova Fronteira, 2002, traz fragmentos do romance e uma "nota de falecimento" do saudoso advogado Antonio Bulhões, amigo de Rebelo. O último volume projetado (seriam sete) traria o título *Por um olhar de ternura*, inspirado em um fato ocorrido em Nova Iorque: um negro teria olhado com ternura uma mulher branca e por isso seu marido branco teria jogado arsênico no seu rosto negro.

Ele era, na lembrança de Mario de Andrade, "o nosso criador mais pessimista, uma personalidade sofrida e trágica".

No *roman à clef* o autor produz um relato autobiográfico, além de "esconder" personagens da vida literária e política da época sob nomes fictícios, recorre ao artifício de construir um determinado personagem nele reunindo duas pessoas em um mesmo nome. Por exemplo, os irmãos Joel e Paulo Silveira reúnem-se para formar José Nicácio, figura (amiga) constante nas memórias do autor. Episódios reais não narrados pelo autor, que esconde seus personagens ao lado de outros inventados de acordo com a sequência da narração.

Os críticos costumam citar como obra importante no gênero romance com chave *A conquista*, de Coelho Neto, que descreve os acontecidos da vida boêmia e literária da cidade do Rio durante a Campanha da Abolição. Personagens há que aparecem com seus próprios nomes como José do Patrocínio — assim como na trilogia de Rebelo, Getúlio Vargas e Carlos Drummond de Andrade (personagens tão diversos!) são assim referidos. Em A *conquista*, parece que o autor não quer disfarçar "Otávio Bitar" de Olavo Bilac ou esconder "Paulão Neiva" em Paula Nei.

A enorme capacidade de gerar desafetos o coloca marginal de muitos círculos literários da época e só vai ser resgatado quando eleito para a Academia Brasileira de Letras. Implacável com seus inimigos, será também implacável com Eduardo, nome que Rebelo adota na trilogia. Mesquinho e egoísta dirá de si o nosso autor: "Feio, deselegante, pobre, implicante, malcriado, sem educação." (em *A mudança*). De tal forma, que permite que ao leitor seja revelado Rebelo pelo próprio Rebelo, sem retoques.

Alceu Amoroso Lima, que o saudaria na Academia, seria o personagem Martins Procópio estigmatizado pelo autor.

Não estariam por aí dois caminhos a percorrer para quem se aventure em uma peculiar biografia de Rebelo? O retrato de corpo inteiro do próprio Rebelo por ele mesmo e como a vida tratou, vistos de agora, seus personagens literários por ele tão e tão longamente maltratados.

E para completar uma garimpagem nos escritos que alguns de seus amigos deixaram. Francisco Inácio Peixoto (aparece com o nome de "Francisco Amaro") é o poeta que abandona a vida literária para se estabelecer como forte industrial e fazendeiro em Cataguases (Guarapira nos romances) e será o grande amigo de Rebelo e com ele trocará copiosa correspondência, confiada, tal seus livros, à Casa de Rui Barbosa.

Enfim, quem se aventurar poderá também estabelecer alguma comparação entre o Rio de Janeiro de Rebelo e os tempos bicudos que estamos a viver.

Vai a seguir uma contribuição — em forma de revelações — a algum estudioso da obra do notável escritor:

Personagens de Rebelo através de *O espelho*:

> Nicanor de Almeida, amálgama de vários advogados e juristas, com relevo para o dr. Sobral Pinto quando o personagem é colocado em face do Tribunal de Segurança;
>
> Lauro Lago, diretor do DIP, é Lourival Fontes;
>
> Martins Procópio é o escritor Alceu Amoroso Lima, que usava o pseudônimo de Tristão de Ataíde;
>
> Júlio Melo é José Lins do Rego;
>
> Julião Tavares é Carlos Lacerda;
>
> Débora Feijó é Rachel de Queiroz;
>
> o poeta é Manuel Bandeira — tratado com carinho pelo autor;

Joaquim Borba é o romancista e ensaísta Cyro dos Anjos;

o sociólogo é Gilberto Freyre;

Vasco Araújo é o editor José Olympio (dono da livraria "Olimpo");

Jacobo de Giorgio é a mescla de Otto Maria Carpeaux e Paulo Rónai;

Altamirano Azevedo é Augusto Frederico Schmidt;

Lucas Barros é Álvaro Lins;

Guilherme Grumberg é Oscar Niemeyer;

Marcus Rebich é Samuel Wainer;

Mario Mora é o cenógrafo e figurinista Santa Rosa;

Gustavo Orlando é Graciliano Ramos;

Natércio Soledade é Nelson Rodrigues;

Adonias Ferraz é Cornélio Pena;

Aldir Tolentino é Aldary Toledo;

Pérsio Dias é Percy Deane;

Nicolau é Cândido Portinari;

Marcos Eusébio é Oswaldo Teixeira;

Luís Cruz é Gastão Cruls;

Silva Vergel é Francisco Campos;

Zagalo é Lasar Segall;

Antenor Palmeiro é Jorge Amado.

(Em tempo: o leitor poderá encontrar "outro" Rebelo na coletânea selecionada e prefaciada — excelentemente — por Renato Cordeiro Gomes, que a ela dá o título *Marques Rebelo*)[47]

47 Gomes, 2004.

A vida não é líquida

A estreia vigorosa na crônica da juíza Andréa Pachá, o leitor vai encontrar no livro que lançou em 2012, *A vida não é justa*, pelo selo da Agir. Formada em direito, abandonou a advocacia ("Vou chegando aos 50 anos da profissão de quebrar pedras", digo eu) e fez curso de roteiro com o saudoso Alcione Araújo, que assina o prefácio, mas que não vê o livro editado, colhido pela "torta" e deixando exemplos e saudades, abriu um centro cultural e esotérico Avatar (reencarnação do deus Vixnu?), produziu teatro e fez concurso para juiz. Acumulou experiências, especialmente na Vara de Família onde colheu pedaços de vidas, que nos serviu em saborosas, e às vezes penosas, crônicas em que narrou acontecidos na Vara de Família, em Petrópolis (especialmente), que pontuava com comentários certeiros, que revelavam sua (generosa, erudita e arguta) visão de vida. Parece que o amor não conseguiu se separar da dor: fazer o quê? A apresentação de capa (orelha) é assinada pelo meu velho e querido amigo Zuenir Ventura, jornalista e escritor, cujo texto limpo vale como resenha e iniciação à obra da Andréa. Recomendo.

Nunca advoguei na Família (os advogados se perguntam nos elevadores do fórum: "Você tá no crime?"; "Não, tô no cível e você?"; "Continuo na Família, sabe como é?, já fiz clientela e vou tocando."; "Que parada!"), onde entrei duas vezes, uma para me desquitar (ainda naturalmente não havia o divórcio) e outra como testemunha de um amigo outrora rico, mas que a vida machucou e fez com que pedisse pensão aos filhos, que a negavam.

Do outro lado da vida, o médico Dráuzio Varella em *Carcereiros*, narra o cotidiano dos agentes encarregados dos presídios, que regulam a vida sem vida dos esquecidos da sorte nas imundas cadeias brasileiras, todos pobres, a maioria pretos. Como outras obras do autor, esta também vale leitura.

Estou a meio de leitura da biografia de Dolores Duran (*A noite e as canções de uma mulher fascinante*), de Rodrigo Faour, pelo selo da Record. A pesquisa é cuidadosa e o livro bem elaborado. Curta e intensa a vida de Dolores (1930-1959), vem em retrato de corpo inteiro da intérprete e compositora. Pareceu-me que o autor quer me convencer que Dolores era uma mulher alegre, embora pingue comentários de colegas sobre a solidão da cantora. Suas músicas vêm impregnadas de sofrimento: "A morte deste amor" (canção da tristeza), "Canção da Volta", "Arrependimento", "Castigo" ("Um belo dia, a gente entende que ficou sozinha / Eu não seria essa mulher que chora"), "Coisa mais triste", "Por causa de você", "Olha o tempo passando", "Estranho amor", "Fim de caso" ("Eu desconfio que o nosso caso está na hora de acabar..."), "Não me culpe", "Noite de paz" ("Dá-me Senhor / Uma noite sem pensar / Dá-me Senhor / Uma noite bem comum / Uma só noite em que eu possa descansar / Sem esperança e sem sonho nenhum..."), "Se é por falta de adeus", "Só ficou a saudade", "Olha o tempo passando", "Leva-me contigo", "O que é que eu faço?", "Onde estará meu amor?", "Por causa de você" (com Tom Jobim), "Pela rua' (com Ribamar), "Só ficou a saudade", o antológico "A noite do meu bem', e, para dar o ponto no bordado, "Solidão":

> Ai, a solidão vai acabar comigo
> Ai, eu já nem sei o que faço e o que digo
> Vivendo na esperança de encontrar
> Um dia um amor sem sofrimento
> Vivendo para o sonho de esperar
> Alguém que ponha fim ao meu tormento
>
> Eu quero qualquer coisa verdadeira
> Um amor, uma saudade,
> Uma lágrima, um amigo
> Ai, a solidão vai acabar comigo.

É evidente que não tenho a pretensão de entrar em testilhas com o autor, e nem teria condições/autoridade para tal. Muito ao contrário, louvo a iniciativa e a cuidadosa pesquisa, que resgata a notável artista. Hoje, almoçando aqui em casa, perguntei a Sérgio Cabral, pai, o que achava de biografia e ele, também biógrafo de nomeada (agora empenhado na biografia da Aracy de Almeida), teceu justas loas ao autor. Esteve — o Cabral — apenas duas vezes com Dolores e no bar do Plaza. Contou-me, também, que quando Dolores voltou da desastrada turnê pela União Soviética na qual se desentendera com Jorge Goulart, escreveu um bilhete a Sérgio Porto, que a ele mostrou e do qual se lembra apenas de uma frase: "Desertei legal!". E arrematou colocando um ponto final na dúvida ("Santo Agostinho dizia que a 'dúvida é a pior das angústias'"): "Todo autor canta tristezas", falou.

De mim, jovem repórter, tenho uma cálida lembrança da sofrida Dolores, que exponho no meu *Beco das Garrafas — uma lembrança* (Revan). Lembranças de um jovem plantonista (faz 55 anos) do Diário de Notícias, estacionado na delegacia da rua Hilário de Gouveia (não sei se ainda está à venda o *Beco*, mas o telefone da Revan é 2293-4495; e fiz o meu comercial). Lembro de Dolores no Little Club, solidária, solitária e triste.

Ao contrário das rosas, as letras falam. Vejo no cólofon que o livro tem exatas 560 páginas.

Amanhã, vou a Brasília (cumprir pena, que agora voltou a ser mera vingança no presente retrocesso do Direito criminal brasileiro) e a maleta não comporta a alentada obra. De tal sorte, que levarei a *Modernidade Líquida*, de Zygmunt Bauman (Zahar), livro que dá sequência a *Globalização: as consequências humanas* (inventário de perdas). Que também recomendo. Boa leitura a todos!

A foto e a história
À memória do dr. Tancredo

Vendo então uma foto minha com dr. Tancredo, sirvo os leitores uma das muitas histórias que com ele apreendi. Pelo Regimento da época, as mensagens do presidente da República eram examinadas e votadas por comissão mista do Congresso Nacional (naturalmente composta de senadores e deputados). A relatoria sempre cabia ao partido do governo e, a presidência, à oposição.

O fim do milagre econômico levava as forças do capital a abandonar a nau insensata da ditadura, que a vitória na eleição para o senado do MDB, em 1974, já anunciava. Em 1980, o consulado do general Figueiredo já dava sinais de agonia. Mas a repressão na chamada Operação Condor continuava ferozmente ativa e o Brasil tornou-se refúgio algo seguro em face das mais cruéis ditaduras do Chile, Argentina e Uruguai. A pretexto de "defender o mercado de trabalho interno", o governo envia ao Congresso anteprojeto de uma nova lei de estrangeiros (publiquei à época o livro *Nova Lei de Estrangeiros ou Regimento Interno da Bastilha*; a sensacional capa do Henfil, de tão expressiva, resumia o livro) exatamente para reprimir refugiados do Cone Sul.

O ministro da Justiça era nosso colega na Câmara, o deputado por Minas Gerais Ibrahim Abi-Ackel (filho de estrangeiro, que rompeu comigo depois de uma entrevista maldosa que sobre ele concedi, mas isto já é outra história e eu não deveria tê-la dado), o ministro responsável pelo texto. Fui escolhido presidente da Comissão composta, entre outros, pelo dr. Tancredo, senador por Minas Gerais e, sob sua inspiração, começamos as negociações para, pelo menos, abrandar o texto. Esforços baldados, mesmo após uma audiência com o ministro na qual acompanhei dr. Ulysses. Nada. Reunimos o terço da oposição e sugeri: "Bom, nós votamos com o nosso substitutivo e o resto vota como quiser". E dr. Tancredo ensinou: "Não vamos dizer o resto, vamos dizer os demais".

Aprendi a lição: não há resto, sempre os demais.

Sabedoria do saudoso amigo. Em tempo: na foto que postei no Facebook, dr. Tancredo já estava eleito presidente da República e sequer dava mostra da doença que privaria o Brasil do grande brasileiro. Perdeu o país. Perdemos todos nós.

Irreparavelmente.

Cabo Lyra

À memória do ministro Fernando Lyra

Sábado, dia 16 de fevereiro, chego do Recife onde fui cumprir o que se chama — e com tanta razão — o doloroso dever do último adeus a um querido amigo. Márcia e as meninas, a família, amigos, muitos amigos e admiradores muitos, colegas da Câmara dos Deputados e da Assembleia Legislativa de Pernambuco, principais colaboradores em sua passagem curta e fulgurante pelo Ministério da Justiça na penosa transição. O governador Eduardo Campos e seu vice João Lyra Filho (irmão de Fernando), a ministra Ana Arraes, o ministro Fernando Bezerra, prefeitos.

E fiquei a pensar nos quantos e quantos milhões de brasileiros não sabem e nem saberão, que a atuação do homem público exemplar que foi Fernando Lyra contribuiu decisivamente para vitória de Tancredo Neves no Colégio Eleitoral da ditadura e a transição pactuada fosse possível. Ao publicar minha pequena contribuição ao seu livro *Daquilo que eu sei — Tancredo e a transição democrática*, 2009 (vai a seguir), penso também na sua modéstia ao se atribuir a "patente" de cabo (Cabo Lyra) quando foi ele quem articulou e liderou politicamente a criação e a atuação do chamado "grupo dos autênticos do MDB na Câmara dos Deputados". Desassombrado,

Fernando por várias vezes denunciou, na tribuna da Câmara, prisões e desaparecimentos de presos da ditadura. Frequentava as listas de cassações, mas parecia que se equilibrava na linha tênue que separa a temeridade da ação política institucional. O descortino de Fernando na resistência e depois no avanço na construção da frente que operaria a transição não teve competidor na liça. Com sua morte se encerra um tempo: o tempo do parlamentar herói.

É o que penso. É o que sinto

(16.02.2013)

O Dito & o Feito

A chamada abertura *lenta, gradual e segura* atribuída ao general Golbery e iniciada no consulado do general Geisel precisava tirar do seu caminho o MDB, que desde a década de 1970 seguia seu curso vitorioso.

Com a crise do petróleo, chegou a termo o milagre econômico, provocando erosões na aliança entre a burguesia e os militares. Greves operárias no ABC paulista, a volta de exilados e o fortalecimento do grupo autêntico no interior do partido faz do MDB a frente oposicionista capaz de empolgar o poder, mesmo nos limites impostos pelas leis restritivas da ditadura. Em 1974, elegeu 16 senadores, cerca de 44% de deputados federais e a maioria de deputados estaduais em seis Assembleias Legislativas, o que lhe permitiria a eleição indireta dos respectivos governadores.

A reação militar veio com o Pacote de Abril, em 1977, e a prorrogação de mandatos de vereadores e prefeitos para permitir a coincidência geral de mandatos. Ainda era pouco. Em uma ação sem precedentes nos parlamentos, o governo militar tinha o requinte de fazer o seu partido (Arena) extinguir seu adversário (MDB) pelo voto majoritário de que ainda dispunha no Congresso Nacional. A extinção do bipartidarismo forçou a reforma partidária.

O MDB é sucedido pelo PMDB, mas sofre significativa divisão interna quando Tancredo Neves, aliado ao seu tradicional adversário Magalhães Pinto, lançou o Partido Popular e o inscreveu com uma nota forte: "Meu partido não é do Arraes."

Dizia-se que a aliança do Partido Popular com o PDS, que sucedeu a Arena, permitiria uma solução civil com a candidatura a presidente da República do então ministro da Justiça Petrônio Portela, que viria a falecer desfazendo a trama.

A maioria governista aprova projeto de lei do governo que vincula os votos de vereador a governador, obrigando, com esse tiro (epa!) no pé o PP a refluir para o PMDB.

Vida que seguiu, Tancredo Neves elegeu-se governador de Minas Gerais, Franco Montoro governador de São Paulo e Leonel Brizola governador do Rio de Janeiro.

Como se recorda, a base civil e política do golpe de 1964 era composta por governadores dos mesmos estados referidos acima: Magalhães Pinto, por Minas Gerais, Adhemar de Barros, por São Paulo, e Carlos Lacerda, pela Guanabara.

Com a nova correlação de forças foi impulsionada a luta por eleições diretas para presidente da República, derrotada por votação congressual. Assim, abriu-se caminho para as oposições — se unificadas — disputarem a presidência da República, mesmo no Colégio Eleitoral dos militares.

Talvez a mais difícil tarefa fosse a de *reconstruir* a unidade *real* do MDB/PMDB, desfeita por Tancredo Neves com a frase "meu partido não é o de Arraes" e recomposta pelo castigo da vinculação de votos.

É nesse momento crucial que um deputado dos autênticos do MDB tomou a iniciativa audaciosa de convencer Miguel Arraes a visitar Tancredo Neves no Palácio da Liberdade, que o esperou como uma noiva aguarda o pretendente no altar. Imagino que o deputado antes de conversar com Arraes naturalmente acertou-se com um receptivo Tancredo. Naquela altura, o redator destas notas já privava de sua amizade e de sua confiança, mas, mesmo com o convívio quase diário, não soube da genial articulação.

Pronto, foi tirado o espinho da mão e aberto o passo para a candidatura do saudoso presidente.

Esse deputado já havia se destacado entre os autênticos com o posto de cabo: era o "cabo Lyra". Seu notável descortino e audácia política cortaram o passo dos que apostavam na divisão do partido e procuravam uma saída "pela direita". Sua contribuição para a transição pactuada foi decisiva e o reconhecimento do presidente o fez seu ministro da Justiça, onde também iria deixar, indelével, sua marca: mas isto já é outra história.

Ora direis: mas sem a iniciativa do deputado não haveria a sucessão de fatos que permitiu a eleição de Tancredo Neves no Colégio Eleitoral? Não sei. Não tenho o contrafactual para responder. O que posso depor é que o **Dito** da ditadura foi desfeito pelo **Feito** do bravo deputado pernambucano.

48 Lyra, 2009. (Publicado no livro *Daquilo que eu sei*, de Fernando Lyra)[48]

Leila Diniz

Leila era "jurada" em um programa de calouros que, à época, Flávio Cavalcanti comandava, aos domingos, na antiga TV Tupi, na Urca. No meio de um dos programas, apresentou-se a Polícia Federal com um mandato de prisão contra a Leila. Flávio negociou com a polícia, argumentando que Leila não podia sair no meio do programa e a polícia concordou. Foi o tempo de me alcançar em casa e eu chegar à TV.

Era o inspetor Senna que trazia a ordem e eu já o conhecia por conta do meu ofício de defender os perseguidos pela ditadura. Li o mandato, que estava nos conformes daqueles dias sombrios. Inútil qualquer tentativa de negociar um compromisso de levar Leila para depor no dia seguinte e sem o constrangimento da prisão. "Ordens", diziam. "Ordem" é o que dá vida aos energúmenos de todos os tempos.

Leila estava com uma roupa meio à cigana, o que permitiu a simulação. Ao final do programa, no camarim, Leila trocou de roupa com sua secretária, que saiu comigo no meu carro, enquanto ela fugia no carro de um amigo meu, indo se abrigar em Petrópolis, na casa de Flávio Cavalcanti.

Dá para imaginar a raiva da polícia quando interceptou meu carro e constatou que fora logrado. Temermos por uma violência, porque, furioso, o inspetor Senna nos cobria de ameaças.

Afinal, convencido de que eu não sabia o paradeiro de Leila (e por segurança não sabia mesmo, deixei-a entregue ao meu amigo e à solidariedade do Flávio), e sem querer prender o advogado, menos pela prisão e mais porque iria revelar sua desatenção na captura, o inspetor deixou-nos ir.

Era ministro da Justiça o professor Alfredo Buzaid, que me conhecia porque eu participara, pela Faculdade Cândido Mendes, onde era professor, de um seminário sobre processo civil, em Poro Alegre, como relator na mesa presidida pelo prof. Buzaid. Recebeu-me bem, mas sem disfarçar a raiva que votava à Leila. Chamou-a de imoral. Imaginem! Argumentei por outro caminho: minha mulher, irmã de Leila, estava grávida e muito nervosa com a ordem de prisão; era tal a ligação das duas que eu temia por uma complicação na gravidez. Afinal, acedeu em suspender a ordem mediante meu compromisso de levá-la a depor e o compromisso dela de não dizer mais palavrões!

Acertei com o próprio inspetor Senna (devedor ao delegado da polícia, naturalmente um general, do cumprimento da ordem) o depoimento de Leila. Foi um Senna mais aliviado (encerrava o "expediente" Leila) que nos recebeu. A Polícia Federal então ocupava um próprio estadual que depois passou a abrigar o Museu da Imagem e do Som, na praça XV. A linda visão sugeriu a Leila o primeiro comentário:

— Que bela vista vocês têm por aqui, pena que não ajude.
— Ajude o quê?... — perguntou um incomodado Senna.
— Ajude nada — eu disse. — Vamos ao depoimento.
E fomos.

Senna e o escrivão procuravam dar um ar de solenidade ao depoimento, que a irrequieta Leila atrapalhava. Não apenas por sua maneira informal de portar-se, mas também porque outros tiras vinham vê-la e especialmente a senhora que servia café, que se declarou sua fã incondicional e logo colheu especial autógrafo. Carrancudo, Senna advertiu:

— Dr. Marcello, dona Leila sabe do compromisso que o senhor assumiu com o ministro, dela não falar mais palavrões?

Leila inquietou-se, ia falar alguma coisa, protestar certamente, mas eu, ríspido, cortei.

— Sabe, inspetor. Mas vamos ao depoimento. Não acha melhor eu mesmo e o escrivão nos desincumbirmos da tarefa, enquanto Leila aprecia a paisagem?

E assim foi feito. Ao final, Leila queria ler o depoimento, que se resumia ao compromisso de não dizer mais palavrões, após as perguntas de costume.

— Assine, Leila, e vamos embora.

Assinou e fomos embora.

Na sequência, o governo editou um Decreto-lei sobre censura, que naturalmente proibia palavrões (peças, teatro, televisões, jornais, revistas), e que ficou conhecido como Lei Leila Diniz.

(Contribuição ao livro *Leila Diniz*.[49]
Também publicado em meu livro *Papéis Avulsos*)

[49] Puppo et al., 2002.

CAPÍTULO 9

Andanças

Chão sem estrelas
É preciso querer tudo
Meia-noite em Paris
Meia-noite de Woody Allen

Depois das viagens dos tempos de exílio (Bolívia, Chile, Argentina, Uruguai e Tchecoeslováquia), Marcello retornaria várias vezes àqueles países, caminhando entre reminiscências, como ele conta no texto "Pelas ruas de Buenos Aires", que faz parte do Capítulo 5. As andanças das próximas páginas são breves relatos sobre Paris, acontecidos mesmo quando Paris não estava no roteiro.

Em "É preciso querer tudo", ao tentar um voo no aeroporto de Lagos para voltar a Dakar, onde estava hospedado na casa do embaixador João Cabral de Melo Neto, ele acaba embarcando rumo à capital francesa. O filme *Meia-noite em Paris*, de Woody Allen, comentado nos dois outros textos, convida Marcello a viagens no tempo, entre bistrôs, hotéis e livrarias. Em todos eles, a lembrança de um rápido encontro com Sartre e Simone de Beauvoir.

Andanças que chegam a nuvens e céus que nunca pisou, mas onde quer construir palácios e plantar estrelas.

(G.B.)

❈

Chão sem estrelas

À Carminha

Quero ganhar na loteria
com bilhete que nunca joguei

Quero saber a verdade
da mentira que inventei

Quero de volta agora
o sangue que nunca doei

Quero escrever em livros
palavras que jamais lerei

Quero construir palácios
em nuvens que não alcancei

Quero plantar estrelas
no céu que nunca pisei

Quero gravar em disco
a música que não cantei

Quero sufocar em prantos
amores que nunca amei

Quero ganhar batalhas
de guerras que nunca lutei

Quero parar rodeio
em cavalo que não montei

Quero colher em terra
flores que nunca plantei
e semear amores
em campos que desprezei

Quero lamentar baixinho
o pranto que não derramei

Quero o amor de outrora
da mulher que nunca amei.

É preciso querer tudo

À memória de Ana Maria Moskvitch

Anos depois, encontrei-me em Paris e Paris não estava no roteiro. E Paris está fora de algum roteiro?

Não, não está. Mas estava, se me entende.

Vinha de cumprir missão na Nigéria para o órgão em que trabalhava e que também me servia de fachada para o duro ofício de defender presos políticos. Até ser apanhado na rede do SNI. Mas esta já é outra história.

A rota previa uma parada em Dakar para baldear no rumo de Lagos.

Em Dakar, hospedei-me na casa do embaixador João Cabral de Melo Neto a pedido de seu filho, meu colega de trabalho.

Dakar, cidade praiana, capital do Senegal, era uma antiga colônia francesa, embora fundada por portugueses. Desgraçadamente, a colônia notabilizou-se entre os séculos XVI e XIX como o maior centro exportador de escravos para a América. Deveria ter, à altura, pouco mais de um milhão e meio de habitantes, negros altos que iriam contrastar com os negros atarracados de Lagos, nossos parentes mais próximos. A hospedagem foi magnífica e o Poeta ainda me presenteou com serviço consular, na chegada e na saída, mimo que evitou os aborrecidos trâmites alfandegários. Aporrinhação que teria em Lagos, após participar da feira internacional e procurar voltar a Dakar.

(Lembro-me que por temor reverencial deixei de perguntar ao Poeta porque desgostava de Fernando Pessoa.)

Em Lagos, descobri que os pratos que pensava serem baianos eram de lá, pela cultura comum dos iorubás. Os temperos fortes eram azeite de dendê, leite de coco, pimentas, gengibre. Efós, abarás, acarajés, sarapatel e sobremesas de aluá, cocada e beiju faziam as delícias das delegações dos países envolvidos no seminário de cooperação com a Nigéria nos setores de construção, máquinas, energia e outros equipamentos. Alguns norte-americanos me falavam da Bahia e da mesma comida de nossa terra, sem saberem que os muitos africanos escravos que a trouxeram eram mais cultos que colonizadores, alguns muito cruéis.

Tudo correu normalmente até a hora de tomar o avião de volta a Dakar. Simplesmente não havia mais voo direto a Dakar e a muito custo consegui passagem no voo da Air France a Paris, não sem antes "pagar" uma espécie de "pedágio oficial" exigido pelas autoridades aduaneiras. Afinal, compreendi que não me davam o visto de saída porque não colocara no passaporte os dez dólares de praxe. Resolvido o impasse, voamos direto a Paris.

Complicações no voo e aterrizamos em Orly pela madrugada. Tomei um táxi e indiquei o Hotel Esmeralda, na rua Saint-Julien-le-Pauvre, pequeno e charmoso hotelzinho em que habitualmente me hospedava. Acordei o porteiro, um peruano já meu conhecido. Não, infelizmente nenhuma vaga. Mas telefonou para uma hospedaria, que me aceitou. Não era longe, mas eu vinha da África e minhas roupas eram inadequadas ao frio do final de dezembro. Prestativo, Juan emprestou-me um poncho de alpaca, que me defendeu do tempo e só foi devolvido dois anos depois.

Contatos com brasileiros expatriados, que não conseguira em Lagos, foram feitos e eis-me hospedado no acolhedor apartamento que a brasileira Ana Maria (já falecida) e seu marido francês Robert Linhart moravam no agradável Jardin de Plantes.

Robert formara-se em filosofia na exclusiva École Normale Superieur com seu mestre Louis Althusser (mais tarde, tal ele, padeceria de sucessivas crises psíquicas) e engajara-se em posição de relevo nos acontecimentos de maio de 1968, em que os jovens estudantes franceses formaram barricadas para confrontar a polícia da fechada e conservadora sociedade francesa, com paus, pedras e arremesso de slogans como "é proibido proibir" ou "sejam realistas, exijam o impossível", ou ainda outro de sentido peculiar: "Corram, o velho mundo está atrás de você". (A Revolução Francesa de 1789 também não fora conduzida por jovens?)

O casal adotava as posições existenciais de Beauvoir e Sartre (cujo círculo frequentavam), e abraçaram a teoria do filósofo pela qual as pessoas viviam em estado de absurdo fundamental, ou de contingência; a vida não tinha significado preexistente, cabendo a cada indivíduo assumir sua liberdade, sua própria vida; cabia a ele escolher a substância de suas vidas e até a maneira livre a amar. (Também na gênese do 1968 não estaria um pensamento de Sartre? "É preciso querer tudo!") O casal, tal seus mestres, viviam um casamento livre, mas vi que ele pesava mais na amiga brasileira, que numa noite, em que cheguei tarde em casa, a surpreendi, a todo o momento, a consultar as horas, mas sem nada dizer. Fechei-me em copas.

Dia seguinte, jantando na Brasserie Balzar, na *rue des Écoles*, ponto habitual de *intellectuels engagés*, vejo o casal Beauvoir/Sartre vindo na direção de nossa mesa. Robert levantou-se naturalmente e os beijou e me apresentou como advogado brasileiro que lutava pelas liberdades em seu país. Um Sartre expansivo e uma Simone retraída me saudaram afetuosamente. E se foram a comer, a beber e a conversar sobre o tudo e o nada.

No outro dia, despedi-me do casal hospitaleiro, que insistia em que ficasse mais alguns dias. Havia uma nova galeria a ver e um espetáculo imperdível na Salle Pleyel...

O convite era tentador, mas eu tinha de voltar.

Era Natal.

(Natal de 1977)

Meia-noite em Paris

A Cacá Diegues

O filme narra um pedaço da vida de um roteirista de sucesso em Hollywood, que pretende iniciar uma nova etapa de sua produção, já agora na literatura. Em viagem a Paris com sua noiva Inez (Rachel McAdams), e com os reacionários pais dela, "viaja" de volta aos anos 1920 aonde encontra a Paris de então e se deslumbra ao "conhecer" seus autores preferidos (Fitzgerald, Hemingway, Gertrude Stein), além de renomados pintores (Picasso, Salvador Dalí, Gauguin, Matisse, Toulouse-Lautrec), delicia-se com a música de Cole Porter, e sugere tema para um novo filme de Buñuel (*O anjo exterminador*) quando é a ele apresentado.

É instigante na medida em que o autor (Woody Allen) discute, através do personagem Gil Pender (Owen Wilson está excelente), que fala como ele (Allen, que escolheu um alter-ego) falaria se fosse o ator, sobre seu "lugar" no mundo, tema recorrente ao autor.

Michel Sheen "vive" o pedante e intragável Paul, namorado de uma amiga de Inez, que vai com ele ter um pequeno caso; enquanto Pender se julga apaixonado pela belíssima Adriana (Marion Cotillard).

Os dois casais lembram o também excelente *Vicky Cristina Barcelona* em que seu insuportável noivo (é Paul) e o romântico

Javier Barden (Pender), só que no *Meia-Noite* vão aparecer de sinal trocado.

As tomadas de cena são livres e naturalmente não têm de obedecer a qualquer ordem; Pender passeia pela av. Champs Élisées (mostra o Restaurant Fouquet's, lugar de comemoração da eleição do retrógrado e belicista Sarkozy cuja mulher Carla Bruni faz uma ponta de guia de museu no filme) para, na sequência, aparecer na esquina da *rue* Gallande com a *rue* Saint-Julien-le-Pauvre (do Hotel Esmeralda, na Saint-Julien, dizem avistar-se a mais bonita perspectiva de Paris; o saudoso Max da Costa Santos lá morou quando do seu exílio em Paris, mas, infelizmente, o hotel está descuidado, o que não se traduz em impedimento para sua fiel freguesia), para em seguida (agora na sequência) sair do legendário Shakespeare and Company, na *rue de la* Bûcherie, e também em seguida passear no Sena e comprar algo em um *bouquiniste*...

É interessante o registro de restaurantes que provavelmente Allen aprecia: Polidor, Balzar (onde, nos anos 1980, vieram em minha direção Sartre e Simone, Chez Paul e o exclusivo bistrô do Hotel Bristol (que hospedou os artistas, creio).

O surrealismo (tal *Rosa púrpura do Cairo*?) surpreende quando Pender "volta" à (sua) Época de Ouro dos anos 1920 e já sua "namorada" quer viver a anterior *Belle Époque*, o que os vai separar.

Pender reencontra uma jovem vendedora de discos antigos no Mercado das pulgas de Clignancourt e com ela caminha na chuva...

E assim termina o filme que recebeu alguns aplausos na sessão que assisti.

Não há dúvida que Allen produz um hino de amor a Paris. Zelito Viana achou o filme "uma brincadeira genial". E é, mesmo. Vou assuntar o que Cacá Diegues achou do filme.

Seria bom que o espectador tivesse, ou tenha, ou venha a ler *Paris é uma festa*, de Hemingway, para — quem sabe — melhor situar a "viagem".

Bom espetáculo.

Meia-noite de Woody Allen
À Cristina e Leandro Konder

Na esquina da *rue* Gallande (que abriga a legendária casa de jazz Le Caveau des Obliettes e adiante o Le Navigator, restaurante em que almoçávamos com Cristina e Leandro Konder, mas que ultimamente caiu bastante) com a Saint-Julien-le-Pauvre, a cena permite vislumbrar a pequena Igreja, de culto maronita, que é de meados do século XII e lá acontecem sábado sim, sábado também, concertos que vão do gospel aos clássicos, com especial referência a Mozart e muito especialmente ao concerto n. 21, 2º movimento, tema do filme *Elvira Madigan*, do sueco Bo Widerberg, de 1967, que narra uma sofrida história de amor do século XIX, talvez uma refilmagem.

Rapidamente, avista-se o Hotel Esmeralda, que lamento não mais poder recomendá-lo, como antes fazia, embora atraente o seu preço em torno de 80 a 120 euros e seu local, de cuja janela se avista à esquerda a imponente Notre Dame, em frente a um cuidado jardim e à direita a Igreja. Saindo do hotel pela Saint-Julien-le-Pauvre e virando à esquerda passamos pela lendária livraria Shakespeare and Company (livraria de Sylvia Beach estabelecida em 1919 na *rue* Dupuytren e depois na *rue de l'*Odeón, de 1921 até 1941, e, depois da Segunda Guerra, na *rue de la* Bûcherie, 37) — o filme registra uma rápida tomada de Pender dela saindo — e na sequência existia o excelente restaurante La Bûcherie, onde, no final dos setenta, jantava com Waldir Pires quando Giocondo Dias me interrompe para um encontro com o camarada Prestes, que o PC francês abrigava em um *banlieue* não muito longe do centro, e continuando ainda temos o Rond Point, onde batíamos ponto, e virando à esquerda na rua Saint-Jacques o excelente Le Bar a Huitres (Hemingway pedia Fine de Claire nº 3 e bebia quantidades industriais do branco Sancerre, lá pelo Quartier). Tudo de bom.

Entre os restaurantes, (Polidor, Fouquet's) Allen escolhe também o Balzar, bistrô em que no meio dos 1980, em companhia de Robert Linhart (sociólogo francês formado pela École Normale Supérieure) e sua mulher Ana Maria (brasileira expatriada, já falecida), vi Sartre e Simone caminhando em minha direção, em lance que já contei.

CAPÍTULO 10

O professor

Fazer amigos e influenciar pessoas
O risco do jurídico
O voto de Minerva
Ficha limpa: uma proposta

Marcello Cerqueira iniciou sua carreira acadêmica como professor de direito administrativo da Faculdade Cândido Mendes, em 1968, logo após concluir o doutorado na antiga Faculdade Nacional de Direito, atualmente abrigada na UFRJ. Mas, com o recrudescimento da repressão e a edição do Ato Institucional nº 5, foi compelido a abandonar a sala de aula.

Em 1983, após uma campanha malsucedida para se reeleger deputado federal pelo PMDB, ele volta a lecionar, desta vez como professor de direito constitucional, na Faculdade Cândido Mendes. Neste período, escreve o livro *O Deus ferido*, cujo título homenageia Teotônio Vilela, então já falecido. Nessa coletânea de trabalhos, Marcello abordou cinco temas constitucionais: o pluralismo e a profissão do advogado; parlamentarismo e presidencialismo; a informática e os direitos do cidadão; a constituinte levada a sério; e como foram convocadas as constituintes.

Na década de 1990, Marcello escreveu dois trabalhos de fôlego — *Representação & Constituição* e *A Constituição na História, origem & reforma* — que sacramentam sua especialização como constitucionalista e passam a ser adotados nas faculdades de direito em todo o país.

Em 1994, é aprovado no concurso da Universidade Federal Fluminense para professor titular de teoria do direito e direito constitucional, após submeter à banca do concurso a sua tese *A Constituição e o direito anterior: o fenômeno da recepção*. No ano seguinte, a tese ganhou uma edição publicada pela Câmara dos Deputados. Na apresentação da obra, o então presidente da Câmara, deputado federal Luís Eduardo Magalhães (1955-1998) afirma: "O estudo é de real interesse não só para a atividade parlamentar, onde tantas e tantas vezes se questiona se determinada norma foi ou não recepcionada pela Lei Maior vigente, como para os cultores da ciência jurídica, especialmente para os que se dedicam à teoria geral do direito, ao direito constitucional e à história do direito brasileiro".[50]

Marcello também foi aprovado, em 1995, no concurso público para professor titular de direito constitucional da Universidade do Estado do Rio de Janeiro (UERJ) e, no mesmo ano, foi admitido pela Universidade Gama Filho como livre docente em direito do Estado.

No *Memorial de Concurso* para professor titular da Universidade Federal Fluminense (UFF), escrito em 1994 (publicado em livro com o título *Memorial: quase uma autobiografia de Marcello Cerqueira*), um relato dos trabalhos acadêmicos realizados pelo candidato, sua perspectiva de futuros trabalhos e também um resumo de sua vida profissional, ele cita uma crítica de Francisco Cavalcanti Pontes de Miranda a Clóvis Beviláqua. "Um excesso de boa-fé, que lhe advém de não haver advogado, nem ter sido juiz, mas somente professor",[51] escreveu o professor e jurista Pontes de Miranda, a respeito do autor do projeto do Código Civil brasileiro, promulgado em 1916. "Não tenho condições de avaliar se mestre Pontes tinha razão", comenta Marcello Cerqueira. "De mim, pretendo trazer para a vida universitária as duras lides da vida."[52]

Os textos reunidos neste capítulo, mesmo sendo breves artigos publicados em jornais, escritos para o grande público, refletem a consistência da bagagem acadêmica, aliada à longa experiência como advogado e político.

(G.B.)

50 Cerqueira, 1995, p. 11.

51 Pontes de Miranda, 1981, p. 87.

52 Cerqueira, 1994b, p. 29.

Fazer amigos e influenciar pessoas

A Eros Grau

O Judiciário não é lugar de fazer amigos e influenciar pessoas: é lugar de trabalhar, aplicar a lei e fazer Justiça. Assim o Parlamento: fazer leis e respeitá-las.

A presunção constitucional de inocência não deve servir de abrigo para irregularidades e delinquências de magistrados, de políticos ou de servidores; a presunção é matéria exclusivamente penal e não de impunidade no exercício de judicatura ou de mandato parlamentar ou de qualquer outro servidor público — como se sabe —, sejam ministros ou não.

Magistrados — como qualquer cidadão — têm o dever legal de respeitar as leis, ainda que com elas não concordem; que seu órgão de representação impugne a lei através de ADIn no STF. Mas que as respeitem enquanto em vigor.

É o que penso.

O risco do jurídico

À diversidade das tradições jurídicas corresponde, na doutrina, a divisão entre os que procuram inserir o *estado de exceção* no âmbito do ordenamento jurídico e aqueles que o consideram exterior e esse ordenamento como fenômeno político ou extrajurídico.

Em nossas praias, o estado de exceção se assume em novos formatos. É que os poderes da República, que devem assegurar o Estado Democrático de Direito, ora se fragilizam; ora se exasperam. Fragilizam-se quando a anomia toma conta de parcelas do Executivo e da totalidade do Legislativo, agravadas sempre por sucessivos escândalos. Exasperam-se quando a Polícia Federal se transforma em poderoso partido político e o Judiciário, para além de suas atribuições constitucionais, é provocado a substituir o Poder Legislativo.

A Constituição originária fragilizou-se quando "admitiu" duas jabuticabas: a primeira foi e é a excrescência das *medidas provisórias* (esta miséria das leis); e a segunda, a exceção à questão do ordenamento tributário, quando permitiu a exceção quanto à cobrança do Imposto de Circulação de Mercadorias no estado-membro de destino (a regra é de o fato gerador ser o da origem do produto). Em contrapartida, o constituinte admitiu que "a lei" poderia compensar os estados produtores de petróleo e gás. Entretanto, não "quantificou" a contrapartida aos estados produtores ou confrontantes, o que implica dizer, que não sendo norma-princípio, pode ser "regulamentada" por lei ordinária. Vale dizer, qualquer número maior que zero estaria (sic) ao abrigo da lei. Mas não da agressiva e repulsiva ruptura dos poderes federativos em que uma eventual e mesquinha maioria parlamentar, em causa própria, se exerce como estivesse vivendo em um estado de exceção.

É o caso, por todos, da "lei" que alterou os *royalties* devidos aos estados e municípios produtores ou confrontantes, privilegiando municípios e estados que não sofrem a extração do ouro maldito do petróleo. Medida de exceção, cortada em boa hora por liminar em ação direta de inconstitucionalidade pela altiva e independente ministra Cármen Lúcia.

Na mesma toada, o ministro do Supremo Gilmar Mendes suspendeu a tramitação no Congresso de um projeto casuísta que inibia a criação de partidos. E, na sequência, o ministro Dias Toffoli concedeu o prazo de 72 horas (quando escrevo estas notas) para que a Câmara dos Deputados envie ao tribunal explicações sobre a Proposta de Emenda Constitucional que tende a restringir os poderes do judiciário. Proposta que retrocede à Lei de Interpretação de 1840 e ao dispositivo da Carta do Estado Novo (1934). É uma jabuticaba que reforça a desarmonia entre os poderes pretendidamente federativos.

Assim, o país vive um mundo que desafia a harmonia entre os Poderes: o Executivo legisla; o Congresso autentica as decisões legislativas do governo através das medidas provisórias, ou se rebela contra a Constituição; e o Supremo então é chamado a exercer Poderes que na origem talvez não desejasse.

Sempre que o espaço *do* público (Congresso e Executivo) se encurta, naturalmente o espaço *do* privado (opinião pública, grupos de pressão, mídia, setores organizados da sociedade etc.) se expande.

E essa ciranda se alarga e dramatiza o confronto entre os Poderes.

Sabe-se que os anos 1960 foram os anos de resistência ao Golpe militar; os anos 1980 da redemocratização; os anos 2000 seriam os da *reforma política*.

Desafortunadamente, não é o que se verifica.

Muito ao contrário. O governo antecipa a "corrida" eleitoral e dispara flechas que são respondidas pela oposição e as divergências deságuam no Supremo Tribunal Federal.

É certo que se verifica em todo o mundo acentuada tendência ao desprestígio dos parlamentos, e as crises econômicas só reforçam o desapreço do eleitor. Os mandatos parlamentares, salvo as exceções de praxe, custam muito dinheiro ou servem a denominações com obscuros interesses particularíssimos.

As campanhas eleitorais dependem de "financiamentos" que depois cobram seu preço à custa do contribuinte.

Se os anos anteriores foram de *resistência democrática*, os anos que estamos a viver também serão de resistência democrática.

No passado contra os ditadores, no presente contra o amesquinhamento das funções públicas.

O desafio é como se expressar o cidadão comum em face do senso incomum das elites no poder.

As liberdades democráticas, tão duramente reconquistadas, estão asseguradas no texto constitucional, mas a prática do poder abriu brechas por onde a exceção penetra e pode se agigantar. O Estado é prisioneiro do mercado e dos interesses que em torno dele gravitam.

A Constituição tem de ser respeitada na sua plenitude. A dogmática constitucional não admite desvios ou recuos, ou uma espécie de "circo".

O circo é um "espetáculo" de um novo tipo de estado de exceção. E não há "sociedade do espetáculo" (Debord) sem *meios* que o produzam.

Vigiar e enfrentar os meios é o desafio que carece de resposta. Ao bom combate, pois.

(Artigo publicado em *O Globo*, 30/04/2013, sob o título "O Bom Combate!". Recebi do professor César Guimarães, expoente intelectual de nossa geração, apreciação que segue: "Que beleza de síntese de teoria com história e com análise da conjuntura." Obrigado)

O voto de Minerva

Júri formado por doze cidadãos de Atenas empata no julgamento de Orestes, que, vingando a morte do pai, mata o amante da mãe, que matara seu pai após este voltar de guerra de Troia. Em face do impasse na votação, a deusa Minerva resolve pela absolvição de Orestes e cria o mito (lógico) do voto que levou seu nome.

O que, no atual julgamento da Ação Penal 470, em exasperante curso no STF, cabe ao decano do tribunal em face do impasse nos votos dos juízes da Suprema Corte: decidir pelo voto de Minerva.

O que se está a verificar no atual estágio da democracia brasileira é que, em face do excesso de poderes do Executivo (v. gr. a insuportável "medida provisória") e da anomia do Congresso Nacional, a antiga divisão de poderes vem se transformando em uma espécie de "estado de juízes", com a deslocação dos poderes para o Judiciário, em especial ao Supremo Tribunal Federal.

E o impasse ora se assenta se cabe ao Supremo "conhecer" dos embargos infringentes, medida processual baseada em expressiva diferença de votos dos juízes no curso do julgamento de determinada norma penal.

A matéria, à primeira vista, parece simples: a Carta semioutorgada de 1967 conferiu ao Supremo dispor sobre normas processuais de sua competência; poderes *não mantidos* pela Constituição Federal de 1988, embora por ela não abolidos expressamente.

A lacuna foi preenchida pela Lei nº 8.038 de 1990, que instituiu normas para os processos nos tribunais superiores. Como o Superior Tribunal de Justiça é criação da Constituição em vigor, seu regimento naturalmente não previu a possibilidade dos recursos de "embargos infringentes". Antiga norma do regimento do Supremo Tribunal, que os previa, suscitou a discussão na Corte, às vezes em clima exacerbado. O empate em cinco votos dá a medida da divergência.

Estaria a norma regimental derrogada implicitamente, ou ela teria sido ela recepcionada (recebida) pela Constituição em vigor como lei ordinária? É esse o centro da controvérsia, que resvalou do debate jurídico para as paixões políticas, estas "amparadas" pela voz rouca das ruas que, entre outras palavras de ordem, reclamavam, além de saúde, escola e mobilidade urbana, a questão do combate à corrupção, com a qual ninguém discorda, mas estaria mais focada na questão do passe livre nos ônibus e na malsinada ação penal já referida.

A voz das ruas repercutiu nas discussões da Corte. Naturalmente o Judiciário não é indiferente ao clamor popular, mas certamente não pode deixar que ele substitua a independência judicial exclusivamente vinculada à obediência dos juízes à lei e ao Direito. Os juízes devem aplicar a Constituição e as leis e demitem-se de suas funções quando se submetem a outras "demandas" que não estas, como lembrou um altivo magistrado.

É certo que a Constituição em vigor fez competir exclusivamente ao Congresso Nacional a competência para legislar sobre normas processuais, inclusive aquelas antes reservadas ao Poder Judiciário, e por isso editou a Lei nº 8.038/1990 anteriormente referida.

Entretanto, o Congresso Nacional decidiu expressamente manter na Lei 8.038 a norma do Supremo que previa o cabimento dos "embargos infringentes". Matéria publicada no *Globo* (14/9/2013, p. 6) descreve o debate travado no parlamento sobre a matéria. A mensagem presidencial nº 43, de 1998, que previa a revogação da norma concessiva dos "embargos", foi rejeitada pala Comissão de Constituição e Justiça da Câmara dos Deputados, acolhendo parecer do professor de direito constitucional Jarbas Lima, então membro daquela Comissão. Essa *mens legis* poderá ser decisiva na apreciação da matéria.

O voto de Minerva não é prisioneiro de antigas declarações proferidas pelo juiz antes dos debates sobre o cabimento dos "embargos". Poderá soberanamente mantê-las ou modificá-las. A decisão que vier a tomar, que não antecipa o mérito da matéria, será respeitada como respeitado é o decano.

(Artigo publicado em *O Globo*, 17 de setembro de 2013)

Ficha limpa: uma proposta

À Ivana Mendes

A presunção de inocência, norma jurídica sensível, entrou no Direito Constitucional na Constituição Federal de 1988, o que implica dizer que as diversas Constituições anteriores não a contemplaram.

Dizem os autores que a "vontade do legislador" é para ser interpretada por psicólogos e não por juristas. É certo. É como um pássaro que voa e se liberta do seu cativeiro. Entretanto, à toda evidência, tal norma foi criada para proteger inocentes do arbítrio policial/judicial tão comum nos anos de chumbo. Sem embargo disso, a Constituição é um conjunto harmônico de normas. Não pode ser interpretada em tiras, como se sabe.

Assim, aquela norma deve corresponder, para ter eficácia plena, a outras da mesma Constituição e com o mesmo valor normativo. Assim, o disposto no art. 37 da CF, que cuida da *legalidade*, da *impessoabilidade* e da *moralidade*. A lei votada e à espera de sanção é um pequeno avanço, embora seja recebida como verdadeiro avanço. (Pior depois da mudança do tempo do verbo: venham a ser/*forem* [futuro do subjuntivo] é diferente de "terem sido" [infinitivo pessoal composto]. Qualquer ato que modifique a questão eleitoral como norma penal *stricto sensu* é um avanço. Entretanto, não se cuida de norma penal e sim de condições de elegibilidade. A Constituição, fácil de ver-se, não se quer refúgio de delinquentes.

Veja que para se habilitar a qualquer função pública, o candidato tem de apresentar folha corrida "limpa". Por que na habilitação a cargo político de representação deveria ser diferente? Entretanto, a norma constitucional parece sombrear a questão eleitoral.

Então, a proposta que formulo, ouvidos colegas interessados na matéria, propõe uma cláusula simples e de fácil curso constitucional e infraconstitucional.

Condenado na 1ª Instância (nas hipóteses estabelecidas pela Lei Complementar 135/2010, que alterou o art. 2º da Lei Complementar nº 64/1990), o eventual eleito teria sua diplomação e posse *sobrestadas*. Se absolvido no órgão colegiado (exclusive o Tribunal do Júri que é de 1ª Instância, mas é colegiado) então tomaria posse regularmente. Basta, para tal, introduzir tal conceito-norma na lei de inelegibilidades. (Na hipótese de o STF entender que se aplica a norma do "até transitado em julgado", a situação do condenado pode até ficar pior se o Ministério Público recorrer de absolvição de 2ª Instância.)

Sua defesa (a do condenado) funcionaria ao contrário do que é hoje: longe de alargar os prazos com recursos meramente protelatórios, diligenciaria para abreviar o processo e satisfazer o "eleito" com uma solução rápida, abrindo mão de "agravos" ou de "embargos de declaração". Além da força punitiva da norma-conceito, sua simples enunciação bastaria para inibir aqueles que buscam um mandato como refúgio. O custo-benefício, linguagem corrente nos amantes de vinho, afastaria os aventureiros do voto.

Sem embargo disso, mudanças nas leis eleitorais (sempre penosas) precisam controlar a "irrigação". Certamente, excluindo de logo contribuições de empresas (empresa não vota, então não participa do pleito, já se vê) e estabelecendo teto para despesas de campanha. Naturalmente, eventual estudo aprofundaria quando a votação fosse proporcional ou majoritária e na hipótese de diferenças entre estados da federação (federação imperfeita que viceja por nossas praias). Além do *teto*, o controle necessário: fácil pela amostragem, denúncias e fogo amigo.

Também a proibição de coligações nas eleições proporcionais; e nas majoritárias o impedimento à soma dos tempos dos partidos coligados: o tempo se reduziria exclusivamente ao tempo do partido que dará o cabeça da chapa.

É o que me parece.

(Maio/junho 2010)

CAPÍTULO 11

Hoje, amanhã e depois

O judeu e o ciclista
O neto e a moça
O menino e o cachorro
Manifesto do Cosme Velho
Considerações sobre a chuva
Considerações sobre o sopro
De mim
Ah! Verão
A flecha e o tempo
O tempo e o vento

Na "maré dos tempos em que estamos vivendo", Marcello encara as tormentas do passado como lições importantes para que possamos seguir avançando rumo a melhores horizontes. No texto "O judeu e o ciclista", que abre este capítulo, lembra ele que, durante a ditadura militar, cada nova lei sobre a segurança nacional era mais truculenta que a anterior. Porém, ele revela perplexidade e mal-estar por ver alguns conceitos fascistas assimilados, em parte, nos dias de hoje, em pleno Estado de Direito. "Entendo, mas não posso compactuar quando princípios superiores como a presunção da inocência, o amplo direito de defesa e o devido processo legal são postos de lado como foram no tempo da ditadura."

O cotidiano gesto de levar o neto ao parquinho de um shopping (descrito no texto "O neto e a moça") é um modo de ver nas crianças a perspectiva do futuro. Mas o mesmo avô se assombra com a persistente lembrança da foto de uma criança dormindo com um cachorro na calçada ("O menino e o cachorro") e atormenta-se com as notícias dolorosas de todas as partes do mundo, estampadas nos jornais, martelando em sua cabeça todas as manhãs. "Quem sou eu para botar paradeiro nessa desgraceira? (...) Sou apenas um homem comum que caminha com a foto de um menino abraçado ao seu cão."

Ainda bem que os ideais de justiça social, liberdades democráticas e o respeito pelo contraditório "permanecem latentes e nos enchem de esperança de que ainda mudaremos o mundo", como dizem Petra e Jacob Kligerman,[53] seus companheiros na afetuosa confraria dos Comuníadas — resultado da mistura de "comunistas" e "Os Lusíadas", de Camões. Em seu "Manifesto do Cosme Velho" (que recebeu o título "Maravilhosa convivência" no livro *Os comuníadas estão chegando*)[54], Marcello Cerqueira parafraseia com muito

53 Gullar; Konder; Carvalho et al., 2013, p. 163.

54 Gullar; Konder; Carvalho et al., 2013, p. 132.

bom humor o espectro do manifesto escrito por Engels e Marx em 1848.

"E com essa chuva, como advogar? E para quê?" — questiona Marcello em "Considerações sobre a chuva", ao entrever na paisagem tempos sombrios para a justiça dos homens.

Mas certamente há luz no fim do túnel. Em "Considerações sobre o sopro", ele repassa os acontecimentos das últimas décadas e alerta para a urgência de alternativas, evitando-se cair no facilitário político de que a culpa dos problemas atuais é da corrupção, "ainda que ela seja endêmica e deva ser denunciada sempre — e punida!" O que ele propõe é inventar alternativas "que, por óbvio, só podem estar à esquerda, uma esquerda a ser criada a partir da negação de seus desastres, da superação criadora do que já não é possível nos mesmos moldes (...)".

E por aí vão as reflexões de Marcello sobre o agora e o depois, buscando alento na poesia. Os versos fúlgidos de "O tempo e o vento" cantam um tempo que "se esvai / como areia", e "Que não volta mais. / Não volta mais. / Irremediavelmente. / É o tempo. / É o vento."

Um tempo que "não tem tempo para compaixão", reclama o poeta em "Ah! Verão". E que "passa como uma flecha, a gente nem vê", avisa ele — sem perder de vista o alvo, a mira, a pontaria — no poema "A flecha e o tempo".

(G.B.)

O judeu e o ciclista

Tenho na lembrança um filme que vi faz muitos anos. Navio que partia de Hamburgo para seu destino pouco antes da eclosão da Segunda Guerra Mundial. Nele, embarcados em mesma cabine, um alemão batata: alto, forte, cabelos louros quase brancos, faces rosadas, voz tonitruante, exuberante como convém aos arianos; outro, um judeu alemão corcunda, simpático, calmo, de uma fealdade aliciante. Deu-se que no curso da viagem o alemão batata quase sucumbiu às qualidades do colega do beliche embaixo.

Quando cantavam as músicas mais alemãs das músicas, o judeu mais afinado e com a voz mais educada mantinha a melodia enquanto o alemão batata não aguentava o puxado. Enfim, para encurtar, a determinada altura e para não sucumbir ao risco da conivência, o alemão batata, pró-nazista naturalmente, defendeu sua última trincheira e lascou: "É dos judeus a culpa dos males do mundo". Concordou o outro, mas argumentou: "É dos judeus e dos ciclistas". Espantado, o alemão batata indagou: "Por que dos ciclistas?" E ouviu a serena resposta entre sorrisos: "Por que dos judeus?"

Essa lembrança me vem na maré dos tempos em que estamos vivendo. Alguém haverá de ter a culpa pelos males do mundo, sejam judeus ou ciclistas. Parece que desejam criminalizar a sociedade. Pelo malfeito dos judeus pagam os ciclistas, ou ao contrário, que vem a dar no mesmo.

Antigo advogado de presos políticos durante a ditadura militar, vejo-me como no passado quando certas teorias do mau direito informavam, então, as sucessivas leis de segurança nacional: a posterior mais grave que a anterior.

O conceito de conspiração do Código de Mussolini é que animava perseguidores de então. Antigamente, dizia-se que o alemães criavam as leis, os italianos as copiavam, os franceses as comparavam e os espanhóis as traduziam. Assim, os portugueses. Leia-se parte do art. 179 do anoso Código Penal português: "Aqueles que sem atentarem contra a segurança interior do Estado, se ajuntarem em motim ou tumulto..." O elemento material do tipo descrito é "ajuntar-se naquele motim", "conjurar para aquele motim".

Diferentemente do Código anterior de 1852, que marcava o número de vinte pessoas para a conspiração, o agora comentado contentava-se com qualquer número desde que superior a um. Mas, tal lei admitia ser a "conjuração" um ato preparatório do "ajuntamento" e por isso se o ajuntamento se viesse a realizar, a conjuração seria absorvida, devendo aplicar-se somente a pena de "sedição". O direito português dava curso ao conceito de "suspeito" do atrasado direito penal francês. Todos eram "suspeitos" até que provassem ao contrário. Como? A lei não dizia. Ficava ao arbítrio do poderoso do momento.

Absorvidos tais "conhecimentos" (perdão leitores!), fortalecidos pelo Código Penal de Rocco (1930, na ascensão do fascismo na Itália), os autores das leis de segurança nacional da ditadura militar que sofremos ampliaram os tipos penais: a conspiração, que no direito brasileiro ganharia o nome de "formação de quadrilha ou bando", era o crime que se praticava contra o Estado, então reduzido a miserável ditadura.

"Prendam os suspeitos de sempre", como determinava o policial francês no clássico *Casablanca*, atingiu os "de sempre" e ou outros "de sempre" que os sucederiam. Hoje, não se precisa mais descrever os horrores que foram praticados pelos que defendiam a volta do Estado de Direito. A ninguém é dado ignorar.

O que vem me causando perplexidade e mal-estar é ver que esses conceitos fascistas foram, em parte, assimilados em pleno Estado de Direito, na vigência da mais avançada Constituição do mundo no que diz respeito aos direitos fundamentais. Essa contradição se explica — não se justifica, já se vê — pela conjuntura política e social em que vivemos, onde as culpas e as responsabilidades represadas deságuam em perseguições, não importando se judeus ou se ciclistas.

As acusações abusam do tipo penal "crime de quadrilha" para indiciar ou denunciar cidadãos quando não encontram para eles um efetivo tipo penal descrito nas leis.

O crime de quadrilha ou bando, abrigado no art. 288 do Código Penal na parte que trata dos "crimes contra a paz pública", pune a associação "de mais de três pessoas, em quadrilha ou bando, para o fim de cometer crimes". Esse tipo penal é uma exceção à dogmática do Direito Penal quando admite que um "ato preparatório" constitui-se em crime autônomo.

Mas a doutrina e a jurisprudência são unânimes em afirmar não existir quadrilha se os componentes (quatro ou mais) não são sempre os mesmos. Portanto, não vejo como denunciar alguém como "chefe de quadrilha" de acusados diversos, por exemplo. Em uma denúncia contra dezenas de pessoas acusadas de delitos diferentes, como elas podem ter um "chefe"?

Com tristeza, tenho verificado que, à falta de uma acusação específica, a polícia e o Ministério Público têm indiciado ou denunciado cidadãos que rigorosamente não praticaram concretamente qualquer delito punível. É certo que respondem ao reclamo de parte da sociedade que vê na perseguição, na punição, na repressão indiscriminada, na violação dos direitos, na exacerbação das penas a resposta às suas justas angústias. Entendo, mas não posso compactuar quando princípios superiores como a presunção de inocência, o amplo direito de defesa e o devido processo legal são postos de lado como foram no tempo da ditadura.

Como todos os profissionais do direito, tenho na mais alta conta o chefe do Ministério Público. E não lhe faço qualquer favor ao nele reconhecer a sólida cultura jurídica e suas elevadas qualidades morais. É por isso mesmo que me espanta e entristece quando leio a denúncia que ofereceu à Suprema Corte misturando delinquentes e inocentes. Como se fazia no tempo da ditadura empurrando uns e outros para o abismo da vala comum do "crime de quadrilha".

Parece-me que o tempo não passou, que as lições do passado tão duramente aprendidas se esvaem em uma conjuntura adversa. Que os valores que recuperaram o Estado de Direito Democrático não têm mais vigência plena.

Não existe "chefe de quadrilha", doutor: o acusado é ciclista.

(Revista Consultor Jurídico, 21/08/2007. Artigo originalmente publicado na edição de 18/08/2007 do jornal O Globo)

O neto e a moça

Reconheço que os shoppings têm a sua vantagem; certo conforto, ar ameno no verão, estacionamento, lojas para todos os gostos e, para poucos, os salgados preços; pátio de alimentação com ofertas várias e, na maioria, apenas toleráveis, cinemas confortáveis, pipoca salgada ou doce.

Mas muito burburinho e alguma confusão, que se acentua naquelas datas fatais. Aí é um Deus nos acuda. Os lojistas comemoram, os clientes sofrem, os pais padecem com os pedidos dos filhos que a propaganda compele à competição: "Fulano da minha turma tem a mochila do Ben 10 e eu quero igual, pai". A mochila é cara, o Ben 10 é chato. E as roupas do Batman ou do Homem Aranha? Presentes para a patroa, lembrança para a secretária, o tal do amigo oculto. Esqueci alguém? Certamente, então é tentar uma loja de rua porque o shopping não dá mais. Voltar é uma provação que um cristão não merece e nem ateu.

Certo shopping (outros haverão de ter) possui uma espécie de parquinho de diversões para crianças, são brinquedos virtuais que simulam a direção de um automóvel ou de uma moto por caminhos ínvios e obstáculos de montão. Caça níqueis, pois se compra um cartão com tal ou qual crédito, crédito que logo se esvai e as crianças, infatigáveis e muito justamente, querem mais, sempre mais. Até o acordo: tá bem, só mais esse. E ufa!, eis o pobre livre do tormento, pois o barulho incessante das máquinas é de enlouquecer, especialmente se o dito já é avô.

Consegue-se sair, mas o cheiro da pipoca é irresistível e justo: quem não se lembra do pipoqueiro do bairro dos tempos de menino. Em Grajaú, havia um que ora fazia ponto na porta do Grajaú Tênis Clube; ora na pracinha Edmundo Rego, assim batizada, mas conhecida só como pracinha Grajaú ou só pracinha.

Epa! Topa-se com a vendedora de uma loja de produtos para bem guarnecer cozinhas e banheiros e por onde passei a fazer compras quando decidi mudar minha biblioteca de Copacabana para a avenida Beira-Mar, ora acossada por pontos terminais de ônibus que antes habitavam um próprio do Tribunal de Justiça do Estado que de lá os expulsou para construir mais uma lâmina. E lá se foi o sossego da rua bucólica e antiga moradia de parlamentares antes de Brasília e do poeta Manuel Bandeira — "O aeroporto em frente me dá lições de partir".

Lembro-me que, certa feita, pela mão do poeta Thiago de Mello, meu compadre e sobrinho da mulher do Bandeira, visitei o poeta em tarde memorável. O governador Negrão de Lima pespegou no poste em frente ao apartamento do poeta uma placa que permitia o estacionamento exclusivo do carro do Bandeira.

Voltando ao shopping e à pipoca, ao passar pela dita loja, sou reconhecido pela bela morena que antes me atendera nas múltiplas compras:

— Passeando, doutor?

— Pois é, levei meu neto para brincar no parquinho e agora vamos à pipoca. Está servida?

Não, não estava servida, mas gabou o encanto do neto que eu trazia pela mão. Que menino bonito! E as perguntas de estilo, todas bem respondidas: quantos anos tem, já estuda, gosta da escola? E finaliza:

— Como deve ser bom passear com o vovô.

A inquieta alma grajauense se manifesta:

— É pena de que você seja tão jovem, bem que ele está precisado de uma avó.

Sedutora, arma um sorriso a La Gioconda:

— Quem sabe?

E vamos à pipoca.

(Janeiro de 2012)

O menino e o cachorro

A Jacob Kligerman

Vejo a foto de uma criança abraçada a um cachorro dormindo na calçada, em cima de um pedaço de papelão. Confiro a legenda e realmente o menino de uns dezesseis anos e seu cão dormem na praça General Osório, em Ipanema. O rosto do menino está desfocado, como manda a lei. O menino é negro e o cachorro tem o pelo escuro. Fecho o jornal e vou enfrentar mais um dia no batente. Mas, a foto me acompanha. Teima em me acompanhar e me acompanha. E me assombra.

Por que essa foto da tristeza da miséria carioca me acompanha e me assombra? Tropeçamos a cada passo com cenas até mais miseráveis do que essa, porque é de miséria que sobrevive o povo das ruas. Por que logo essa foto me acompanha e me assombra? E queima. Como brasa.

Certo que ando fragilizado com a morte de um amigo de toda a vida. É um pedaço da gente que vai e depois a gente vai. Não sei para onde. Para a escuridão. Quem sabe não é isso? O peito pesado vai levando meus mortos e a foto do menino abraçado ao seu cão. Ambos dormindo.

Que será da vida desse menino? Será ele um daqueles que os antigos chamavam de peraltas? Esperto, tirando partido disso e daquilo e conseguindo se alimentar e alimentar seu cão. Ou será tragado pelo tráfico? Primeiro, levando recado para traficantes, comprando comida para eles, fazendo pequenos serviços, depois pode subir na escala hierárquica como olheiro ou fogueteiro e chegar a "vapor", vendendo maconha nas bocas de fumo, depois... Bom, depois a morte. Ou a prisão que é lugar de negros e pobres.

Mas não é uma maldição apenas de nossas praias. Agora mesmo, acaba de cair uma bomba americana no Iraque matando um menino e seu cachorro. O menino tem a pele escura, o cão é negro.

Estarei variando? Mas a foto me empurra para lá e para cá. Tento reter na mente uma história muito triste de um homem e seu cão, ou terá sido um filme? Sim, filme. Filme é melhor, tem movimento. Mas nem por isso me lembro bem da história. Lembro que era uma história muito triste, de um homem e seu cachorro.

Quero me distrair, mas sou atraído pelo jornal. Pronto. Vou procurar outro assunto para me perturbar e deixo de lado a foto do menino e seu cão. Logo abaixo da foto do menino e do seu cão, o protesto de moradores negros e pobres de Nova Orleans. Já reconstruíram a parte branca da cidade, mas a outra parte, a parte pobre, a parte dos negros continua devastada. E logo percebo a razão, não que eu seja muito atilado ou que tenha boa memória, porque se a tivesse já teria lembrado da história do homem e do seu cachorro, mas é que por lá as eleições se aproximam e se os negros voltarem para suas casas, certamente vão votar novamente em um prefeito negro. Então, é melhor que não voltem. Quem sabe um menino e seu cachorro não estarão dormindo numa calçada qualquer daquela cidade? Um menino negro e seu cachorro de pelo escuro. Ou o furacão não teria sido um castigo do deus branco para punir uma população que elege um prefeito negro?

Inútil, a foto do menino e do seu cão volta a me atormentar. O sol agora está a pino e torrando minha cabeça. Saio para almoçar. Eu, a foto do menino com seu cachorro, o menino negro com seu cão de pelo escuro, o menino?

Então, penso em me distrair com histórias edificantes do melhor amigo do homem. O cão-guia de temperamento dócil. Os cães que puxam os trenós. Os cães que figuraram em filmes americanos, alguns alcançando papéis importantes e até seriados, porque na América é tudo possível. Os cães fazem a América.

Que estará aprontando agora o menino? Será que conseguiu almoçar alguma coisa e alimentar o seu cão? Olho a foto e ela não me responde. Pior, me desafia. Por que não acabo com a miséria? As favelas viram bairros, os barracos viram casas, há hospitais, escolas e bons empregos, há um condomínio na lua. O tráfico acabou. Os crimes do tráfico acabaram. Reina a paz. Não sei se por conta da nova situação ou porque a Organização Mundial de Saúde decidiu, afinal, legalizar o consumo das drogas. Olho a população, todos são negros, todos são brancos, todos são todos.

Mas a foto do menino e do seu cachorro me devolve ao real. Quem sou eu para botar paradeiro nessa desgraceira? Não sou general, não tenho exércitos. Não sou nem soldado. Não sei jogar tênis. Não sou presidente da República. Não sou nada disso. Sou apenas um homem comum que caminha com a foto de um menino dormindo abraçado ao seu cão. O menino é negro e o cão tem o pelo escuro. Um homem comum que vai almoçar e depois voltar para o escritório. Depois, para casa. No dia seguinte, a mesma rotina. Sou um homem comum com uma foto de jornal, o jornal está no bolso, e a foto do menino e do seu cão está martelando minha cabeça.

Sinto que só me liberto dessa foto se lembrar da história do homem e seu cachorro. Uma história triste que se passa em um país que tem neve. Então, é longe daqui. Aqui é só calor, abafamento e depois o aguaceiro. E o menino aonde irá se abrigar com o seu cão?

Mas a lembrança começa a voltar-me. Faz frio, neva. Diabos, o homem é branco. Está de terno.

O terno está puído e também a camisa, a gravata se acomoda em um pescoço magro encimado por uma cabeça encanecida abrigada sob um chapéu velho como o dono. E ele tem fome. E também tem um cachorro. E o cachorro também tem fome. Ele pode suportar a fome, mas não suporta que seu cão passe fome. Só uma solução. Drástica, cruel. Mas deixá-lo morrer de fome não é cruel? Mais cruel? É véspera de Natal e algumas casas estão iluminadas, e a casa dele, se possível chamar de casa aquela tapera, nem mais luz possui.

O cachorro também é velho. O cachorro é seu amigo. O cachorro é seu único amigo. O homem se dirige ao lago já congelando. Estava decidido, iria aliviar a dor do amigo. O cachorro velho e cansado lambia-lhe a mão. Não teria forças para nadar e sair da água. O homem não encontrava outro meio para resolver a situação, que se resolveria assim. Decidiu-se num repente e mesmo gritando de dor lançou o cachorro n'água. Com seu amigo foi também para a água seu chapéu. Seu único chapéu e seu único amigo estavam no lago.

Chorava para se sentir melhor e mal vendo o caminho de casa enfrentou o vento que já lhe fustigava o rosto e a cabeça desguarnecida do chapéu que se fora com seu amigo.

Ao chegar a casa encontrou na porta o amigo fiel com seu chapéu na boca.

(2008)

*Se você pensa que pensa,
pensa mal.
Quem pensa por você
é o Comitê Central.*

Manifesto do Cosme Velho

Por mais que tenham mudado as condições nos últimos 25 anos, os princípios gerais expressados neste Manifesto conservam, em seu conjunto, toda a sua exatidão.

UM ESPECTRO RONDA O COSME VELHO: o espectro dos comuníadas. Todas as cadências uniram-se numa Santa Aliança para exorcismá-lo: o padre e o sacristão, o sargento e o fuzileiro naval, além naturalmente do czar de todas as Rússias e dos espiões da polícia alemã.

Qual o partido de oposição que não foi acusado de comuníada por seus adversários no poder? Qual o partido de oposição que também não lançou contra seus adversários, progressistas ou reacionários, o estigma do comuniadismo?

Daí decorrem duas conclusões:

I — Os comuníadas já são considerados uma força por todas as cadências e por todos os ritmos.

II — Já é tempo de os comuníadas publicarem abertamente, diante de todo o mundo, suas ideias, seus fins, suas tendências, opondo à lenda dos comuníadas um manifesto do próprio partido.

Para isso, comuníadas de várias tendências reuniram-se no Cosme Velho e encarregaram Leandro Konder de redigir um *Manifesto* definitivo, que Teresa Otino fará publicar em inglês, francês, italiano, flamengo e dinamarquês.

Proletários de todos os países, uni-vos! Nada tendes a perder, senão a maravilhosa convivência que desfrutamos!

(Contribuição ao livro *Os comuníadas estão chegando!*, obra coletiva de antigos jovens que se reúnem habitualmente no Cosme Velho.)[55]

[55] Gullar; Konder; Carvalho et al., 2013.

> *O meu julgamento é o meu julgamento: também outro dificilmente poderá orgulhar-se de ter um direito sobre ele.*
> (Domenico Losurdo) [56]

[56] Losurdo, 2009.

Considerações sobre a chuva

Tempos são esses tempos. Que direi sombrios para a justiça dos homens, de si falha. E para aqueles pobres homens que trabalham com ela. Em confronto entre os que leem a lei como texto e os próprios mortais que buscam os que a leem como norma e a ela dão o significado da verdadeira vida.

Parece que tudo conspira contra o afastamento da compreensão. Internacionalmente, a crise se alastra pela ganância dos banqueiros e a incompetência dos governos, como a coroar com o espinho da maldade o avassalador neoliberalismo com seu rastro de desgraças. Pelo erro de uns, paga a coletividade — dos despossuídos, já se sabe.

Em nossas praias, uma sucessão de erros, equívocos e desentendimentos. Se a crise da representação, especialmente a parlamentar, ronda o mundo; aqui se agudiza. Como corolário, pelos estranhos pobres poderes que a Constituição, em má hora, presenteou o judiciário, especialmente o seu pináculo, o protagonismo se apresenta ao vivo e em suas próprias cores.

Dizem que o bacharel faz concurso para juiz e toma posse no cargo de Deus. O que dizer dos que, embora transitoriamente, habitam o Olimpo?

Os conceitos gerados de cima tendem a ser ampliados em baixo, com as súmulas, a repercussão geral, os julgados, então quando reiterados, formam uma hidra a que se dá o nome de jurisprudência. Tudo isso com cediços códigos cujas modificações ilustram seus autores e de quando em vez prejudicam o texto até então vigente.

A endêmica corrupção, que também atende pelo nome envergonhado de malfeito, toma conta do cenário e em nome dela pagam os culpados, os gregos, os troianos e o leproso de Pouso Alto. Com mais de três forma-se uma quadrilha, não de minueto ou contradança. Mas de criminosos, ou não.

E com essa chuva, como advogar?

E pra quê?

Sic rogat et sperat justitia.

(22 de agosto de 2012)

Considerações sobre o sopro

À memória de Ferreira Gullar

O tema da "corrupção" ronda o mundo e o nosso país não poderia ser exceção. Sobre o "tema", a melhor definição é ainda a de Aristóteles para quem corrupção é governar em proveito próprio e não da polis. Com isso, ele classificou os governos em formas corretas e formas corruptas; a aristocracia, por exemplo, é o governo de poucos, mas governa em proveito da polis; sua forma corrupta, a oligarquia (e variantes), governa em proveito próprio. Aristóteles também sugeria que a boa forma não era imune à degeneração e, mais tarde, Políbio estabeleceu sua teoria dos ciclos, em que se sucedem formas de governos sadias e corruptas de um, de poucos e de muitos. De maneira que, no trato da coisa pública, a corrupção sempre esteve entre nós. Nas democracias de massa modernas, é a contraposição de partidos diversos em orientação, com seu papel fiscalizador na oposição, que ajudaria a conter o potencial de corrupção dos governos.

A democracia de massas sempre funciona com base em máquinas políticas (Weber), e, na ausência de contraditório partidário, degenera em plutocracia. Ora, o que estamos vivendo no mundo onde vicejam democracias de massa (elas são em número maior do que em qualquer outro tempo), as diferenças partidárias se esvaeceram porque a esquerda se fragilizou ou se tornou muito similar ao centro liberal, quando não à direita conservadora.

Como resultado, a classe política se tornou mais homogênea, executando programas similares, enquanto os partidos se combatem apenas em torno do tema da corrupção (caso da antiga "banda de música" da velha UDN e da sua forma então atualizada da "UDN de macacão" dos anos 1990).

Por outro lado, a natureza ampliada e avassaladora do capital financeiro — com seus ciclos curtos, a crise como normalidade, a ameaça recessiva, a especulação — favorece uma espécie de fusão promíscua entre política/administração/justiça e negócios/mercado. Marx nos falava da "classe dominante" e seu lugar no Estado, e um ponto dos que continua válido, mas o que temos é mais que isso: é a elite paretiana, talvez na leitura dos anos 1950 por Wright Mill (*A elite do poder*).

O Estado para Marx garantiria a dominação, mas há uma separação clara entre a economia e a política, uma "autonomia relativa" desta; agora, em crescente número de casos, a fusão quadros de Estado/executivos financeiros/grande imprensa é algo que não ocorrera dantes de forma tão pronunciada e tão generalizada — o que se passa nos Estados Unidos? E na Itália? E no Reino Unido neste exato momento?

Este é, pois, um contexto em que podemos entender (mas não indultar) o desvio de conduta moralmente indigno, muito menos o delito puro e simples. A questão é que, à falta de alternativa clara quanto aos rumos a seguir, as oposições — esta de agora, como a outra, a dos 90 — nada mais têm a dizer de que há corrupção e que ela cresce. E é mesmo! Particularmente, cresce quando o governo de plantão não tem boa imprensa e esta, por sua vez, desmoraliza a moralidade porque denuncia o que deve ser denunciado, mas também denuncia sem fundamento, deixando o acusado em dificuldades. Defender-se é ser contra a liberdade de imprensa.

Ora, a liberdade de imprensa, dada a concentração dos meios relevantes (sim, eu sei, há a panaceia da internet, que, como sabemos, também tem controles via googles deste mundo; ainda que bem que um WikiLeaks ou outro e chiste, precisamos mais) em poucas e murdochianas mãos, virou "liberdade de empresa". Já o era dantes, mas agora são menores empresas — e, por vezes, elas se entendem. Penso, para referir a um caso precursor, em Vargas dos anos 50, com todos os jornais contra seu governo, criando a UH. Coisas assim podem ser agora mais frequentes, bem mais.

O "socialismo real", que sob a liderança da União Soviética conheceu fases de enorme prosperidade, não sobreviveu à instabilidade e à crise dos vinte anos após a década de 1970, em que *o mundo perdeu suas referências* (Hobsbawm). Inicialmente, a crise foi ocultada nos países socialistas e, por isso mesmo, cresceu sem que a população se apercebesse da conjuntura adversa, de tal forma que o repentino colapso euro-soviético de 1989-1991 surpreendeu a todos em todo o mundo!

Economicamente, a década de 1960 já dava sinais de que o socialismo centralmente planejado pelo Estado necessitava de reformas urgentes. A partir de 1970, havia fortes sinais de regressão real. Foi o momento mesmo em que essas economias se viram expostas, como todas as demais em diferentes medidas, aos incontroláveis movimentos e imprevisíveis flutuações da economia mundial transnacional (ainda Hobsbawm).

A segregação do "campo socialista" foi desmoronando aos poucos nas décadas de 1970 e 1980. A crise mundial do petróleo carreou enormes recursos para os países produtores. A União Soviética, grande produtora, beneficiou-se enormemente dos altos preços alcançados no mercado internacional do barril de petróleo (a crise de 1973 quadruplicou o valor de mercado das gigantescas novas jazidas de petróleo e gás natural descobertas na União Soviética em meados da década de

1960) e permitiu adiar a necessidade de reformas econômicas, além de tentar o regime de Brejnev — a chamada "era da estagnação" — a procurar igualar a superioridade de armamentos americanos e a envolver as Forças Armadas soviéticas na aventura do Afeganistão, o Vietnã da União Soviética, e já agora dos Estados Unidos.

Em 1960, as grandes exportações soviéticas consistiam em maquinarias, equipamentos, meios de transporte, metais ou artigos de metais, mas já em 1985 dependia (53%) basicamente de exportar energias (petróleo e gás). Por outro lado, quase 60% de suas importações eram de máquinas, metais e artigos de consumo. A URSS, com essa equação alterada, tornara-se produtora de energia para indústrias mais avançadas e para países sob sua influência. A desvantagem do sistema soviético, e que acabou por derrotá-lo, era sua inflexibilidade em admitir mudanças. Sua economia estava voltada para o crescimento constante na produção de bens cujo caráter e qualidade estavam predeterminados, mas não continha (sua economia) qualquer mecanismo interno para variar quantidade (a não ser para cima) e qualidade, nem para inovar. De fato, não sabia o que fazer com as invenções, e não as usava na economia civil, distinta do complexo industrial-militar.

Os antigos países socialistas da região soviética, como se sabe, não lograram êxito ao aplicar o amargo receituário neoliberal e a socialdemocracia, fenômeno essencialmente europeu, está mal das pernas e não se sabe como sairá desta nova crise e da próxima, e nem é matéria para advogados.

O que temos é o que a literatura recente de política vem chamando de "variedades de capitalismo" para dar conta das diferenças entre, digamos, Estados Unidos, Noruega (a direita anda agressiva, não?) e China (o partido comunista é o codinome de uma "burguesia de Estado"). São variações grandes, mas a interdependência entre as economias promove políticas que redundam com frequência no que mais negativo há no capitalismo — recessões continuadas e/ou crescimento acelerado sem condições de reivindicação trabalhadora (China). Ora, se as ideias neoliberais já não atraem tanto (Paul Krugman no *Globo*), a realidade que elas propunham comanda a vida real. E a questão é pensar alternativas para além de meras políticas compensatórias de assistência e mobilidade social (temos uma nova classe média!) baseada em endividamento — será que não aprendem com a crise das hipotecas nos Estados Unidos? É também evitar cair no facilitário político de que a "culpa" é da corrupção, ainda que ela seja endêmica e deva ser denunciada sempre — e punida! Mas inventar alternativas que, por óbvio, só podem estar à esquerda, uma esquerda a ser criada a partir da negação de seus desastres, da superação criadora do que já não é possível nos mesmos moldes (o belo experimento da social-democracia europeia). Isto depende sim de intelectuais e homens de boa vontade (aquela vontade boa que é o fundamento da moralidade kantiana), mas depende, se à esquerda, de uma remobilização de massa que, hoje, claramente não é mais apenas nacional, porque o mundo é global, a economia o é, a burguesia, com suas contradições internas de sempre, o é.

Por aqui, mais uma vez, Marx tem um ponto, mas errou de previsão: a burguesia internacionalizou-se (devia até ter um hino, não?), as massas trabalhadoras continuam contidas em espaços nacionais. Mas, por motivos diversos, a Europa e o Mundo Árabe estão a demonstrar que há algo novo nesta esfera. A censura e a repressão não nos impedem de saber que há crescente protesto e organização da classe operária chinesa (o proletariado de Marx mudou-se para lá, porque lá está a industrialização pesada e fordista; é de se esperar que reaja da mesma forma que ingleses no passado). Como ligar estas novidades democráticas com movimentos de "minorias" (mulheres não são minoria...) em programas comuns. Isto já é objeto de reflexão de pensadores de diversas persuasões — marxistas pós-Muro (gatos escaldados), socialistas renovados, democratas radicais, liberais densos que sabem que as liberdades públicas caminham mal com insegurança social.

Não se trata apenas de inventar uma alternativa (a política também é arte da invenção institucional), mas de criar resistências, já que, se massas se agitam sem rumo, a repressão virá — este é o meu temor quanto à Europa de hoje — Itália, França, Espanha e suas legislações repressivas mostram o caminho, enquanto os extremistas conseguem concessões da direita dita civilizada (Sarkozy concede à herdeira de Le Pen). O estado militar americano e suas guerras, além da China quebraram os Estados Unidos. E por aí vai...

(24 de janeiro de 2012)

De mim

À Daniela Barbetta

Não posso colher sua flor
Nem secar minha lágrima.

Ah! Verão

Tanto tento o tento
que tenho pouco tempo
para afinal gritar
proclamar
indignar
berrar
ou
tartamudear.
Evitar
montanhas a desmoronar
salvar
crianças embalar
salvar
barcos a baloiçar
o vento enfrentar
procelas.
Tento o tempo e tento
mares águas acalmar
tempestades amainar
o vento dominar.
Vidas defender.
Passa tempo e tento
pensar e cuidar

dores mitigar.
Mas, qual!
O tempo não tem tempo
para compaixão.

(Petrópolis, 19/03/13)

A flecha e o tempo

À Maria Adélia Campello

Passa como uma flecha, a gente nem vê.
— Nem vê?
Nem vê!
— E sente?
Bom, sentir a gente sente a flecha passar.
— E sente?
E como sente. Sente muito.
— Afinal, que flecha é essa?
....
O tempo.

(1º de junho de 2011)

O tempo e o vento

À memória de Érico Veríssimo

Não ter tempo para o tempo
é tempo de pensar no tempo.
Que você o usa para o quê?
Para ter tempo!
Mas, para quê?
Fúlgido é o tempo
que o tempo
se encarrega de finalizar.
Aproveitar o tempo
que é curto
e tênue.
E se esvai
como areia
que você insiste em manter
no côncavo da mão,
no âmago do ser.
Inutilmente.
É que a areia se esvai,
nas mãos engelhadas,
como o tempo.
Que não volta mais.

Não volta mais.
Irremediavelmente.
É o tempo.
É o vento.

Que não volta mais.
Não volta mais.
Irremediavelmente.
É o vento.
É o tempo.

POSFÁCIO

Ênio Silveira

Em 1985, Ênio Silveira (1925-1996) decidiu editar Almoço de ganso, *minha estreia na ficção. Outro dia, na Flip, em Paraty, almoçando com meu compadre e amigo o poeta Thiago de Mello, que acabava de se apresentar com palestra saborosa e muito aplaudida, falamos de Ênio Silveira a propósito da obra que Thiago editara reunindo poemas escolhidos por seus amigos. Lucia escolheu "Maria Clara menina" (nossa filha então recém-nascida) e eu escolhi o poema que celebrava a vida do nosso Ênio e que o compadre lembrou-se de como eu o chamava: "Homem por demais!" Realmente, poucos como Ênio deram combate tão vigoroso à ditadura militar desde sua implantação. Publicou livros "subversivos", editou a Revista da Civilização Brasileira (fechada pela censura), sofreu atentados em sua livraria, diversas vezes preso e processado (seu advogado foi o valoroso Heleno Fragoso) e afinal teve de afastar-se da editora arruinada, ruína que a levou um regime a que nunca se rendeu, jamais cedendo, concedendo, capitulando. Escolhi como posfácio deste trabalho a apresentação que fez ao meu livro de estreia na ficção. Homenagem ao brasileiro Ênio Silveira: "Homem por demais!".*

Inquietante viagem ao mundo de trevas e gemidos

Apesar de mil vezes repetida, a famosa frase do político inglês Lord Acton ("Todo poder corrompe, e o poder absoluto corrompe absolutamente") aplica-se à perfeição à continuada e aflitiva desenvoltura com que, em quase todos os países, maus policiais exorbitam de suas funções definidas e delineadas nos códigos para transformarem-se em abusivos agentes de coação, que não se constrangem diante da prática de vasta gama de violências — morais, físicas e... financeiras — quando querem alcançar determinados fins escusos.

Colocando-se acima do bem e do mal, mas sempre subalternos aos interesses da classe dominante onde quer que as tensões sociais — fruto de grandes desníveis econômicos — sejam latentes, estabelecem métodos próprios de comportamento e dissimulação que lhes permitem manter aparência de estabilizadores da ordem e defensores da Lei, embora com frequência ajam tão somente na busca imediatista de vantagens e conveniências que se confundem com aquelas costumeiramente atribuídas aos setores da marginalidade.

Num país como o nosso, onde a dignidade essencial do ser humano já é violentada todos os dias pelo desrespeito generalizado às mais elementares garantias constitucionais, basta-nos abrir os jornais a qualquer hora para constatar que a presença e a atuação de muitos policiais têm sinuoso curso na terra-de-ninguém que separa a legalidade e o crime.

Tendo escrito obra puramente literária, cuja autenticidade de linguagem e de décor é a mais visível de suas qualidades, Marcello

Cerqueira não pretende que as narrativas reunidas em *Almoço de ganso* sejam tomadas como libelo moralizador, e muito menos como "ficção sociológica" sobre as mazelas de uma Polícia corrupta e violenta. Sua leitura equivalerá a uma excursão acompanhada de guia turístico ao Inferno, com escala no Purgatório, que nos dará desde seu início a sensação de que ao monitor não passam jamais despercebidos aspectos curiosos e peculiares do que se poderia descrever como a ética do mal ou, ainda, a estética da violência, que informam muitas das inter-relações pessoais ou grupais nesse submundo, e que ele a cada instante realça com economia de palavras, mas contundente expressividade.

Marcello Cerqueira, que todos conhecem e respeitam pelo brilho, coerência e bravura de sua carreira política, é advogado militante e atuou durante longo tempo na área da advocacia criminal. Conhecendo muito de perto os labirintos onde os marginais e os chamados "homens da lei" realizam seus estranhos e perigosos encontros, ele não adjetiva, nem julga as partes, limitando-se a oferecer-nos nas páginas candentes que escreveu, um desapaixonado — mas apaixonante — relato que mexerá com nossos nervos e nos compelirá, no angustiante espanto que resultará de sua leitura, a buscar urgentemente uma saída, qualquer saída, desse mundo de trevas e gemidos.

Almoço de ganso constitui vigorosa estreia no campo das letras e abrirá para Marcello Cerqueira outra vertente da criativa capacidade de viver e compreender a sociedade de que faz parte. Esperemos todos por novos livros seus, entre os quais possivelmente não faltará aquele que nos revele os bastidores da militância política, outro terreno onde com frequência o homem também se mostra o lobo do homem.

REFERÊNCIAS

CARRARA, Francesco. *Programa do Curso de Direito Criminal*. Campinas: LZN, 2002.

CERQUEIRA, Marcello. *A Constituição e o direito anterior*: o fenômeno da recepção: o impeachment do Presidente da República: um estudo de caso. Brasília, CPCD, 1995.

_____. *Almoço de ganso*. Rio de Janeiro: Philobiblion, 1965 (Coleção Prosa Brasileira).

_____. *Bateau Mouche*: o naufrágio do processo. Rio de Janeiro: Editora Timbre, 1990.

_____. *Beco das Garrafas*: uma lernbrança. Rio de Janeiro: Revan, 1994a.

_____. Cadáver Barato. In: *O deus ferido*. Brasília, Editora Escopo, 1986.

_____. *Cartas Constitucionais, Império, República e Autoritarismo*: ensaio, crítica e documentação. Rio de Janeiro: Editora Renovar, 1997.

_____. *Cidadania partida*: a mácula do Rio. Rio de Janeiro: Revan, 1996.

_____. *Legem non habet necessitas*: o risco do jurídico. Rio de Janeiro: Revan, 2008 (Comunicação ao II Congresso Brasileiro de Direito Constitucional. 20 Anos da Constituição: Avanços e Retrocesso, Aracaju-SE, novembro/2008. ABCD, Associação Brasileira de Constitucionalistas Democráticos).

_____. *Memorial*: Quase uma autobiografia. Rio de Janeiro: Revan, 1994b.

_____. *O jeito do Rio*: crônicas da cidade do Rio de Janeiro. Introdução de João Saldanha. Rio de Janeiro: Philobiblion, 1985.

_____. *O sapato de Humphrey Bogart*: contos, crônicas, lembranças. Rio de Janeiro: Revan, 2001.

_____. *Papéis avulsos*. Rio de Janeiro: Revan, 2002.

_____. *Penhor da liberdade*: Discursos pronunciados pelo Deputado Marcello Cerqueira. Brasília: CPCD, 1981.

_____. *Recado ao tempo*: Rio de Janeiro: Grafline, 2004/2005.

_____. *Rude trabalho*: Discursos pronunciados pelo Deputado Marcello Cerqueira. Brasília: CPCD, 1983.

GASPARI, ELIO. *A ditadura encurralada*. Rio de Janeiro: Intrínseca, 2014.

GOMES, Renato Cordeiro. *Marques Rebelo*. São Paulo: Editora Global, 2004.

GULLAR, Ferreira; KONDER, Leandro; CARVALHO, Walter et ali. *Os comuníadas estão chegando!* Rio de Janeiro: Casa da Palavra, 2013.

LOSURDO, Domenico. *Nietzsche — o filósofo aristocrático*: Biografia intelectual e balanço crítico. Rio de Janeiro: Revan, 2009.

LYRA, Fernando. *Daquilo que eu sei:* Tancredo e a transição democrática. São Paulo: Iluminuras, 2009.

MENTOR, José (org.). *Coragem*: Advocacia nos anos de chumbo. Brasília: Câmara dos Deputados/OAB-SP, 2014.

MORAES FILHO, Antonio Evaristo. *Um atentado à liberdade*: Lei de Segurança Nacional. Prefácio de Sobral Pinto. Rio de Janeiro: Zahar, 1982.

MORAES, Dênis. *Vianinha, cúmplice da Paixão*. Rio de Janeiro: Nórdica, 1991.

PONTES DE MIRANDA, Francisco Cavalcanti. *Fontes e evolução do Direito Civil brasileiro*. 2. ed. Rio de Janeiro: Forense, 1981.

PUPPO, Eugênio (org.) et al. *Leila Diniz*. São Paulo: Heco Produções, 2002.

SÁ, Fernando; MUNTEAL, Oswaldo; MARTINS, Paulo Emílio. *Os advogados e a ditadura de 1964*: a defesa dos perseguidos políticos no Brasil. Petrópolis/RJ: Vozes; Rio de Janeiro: PUC-Rio, 2010.

SOUZA, Daniel; CHAVES, Gilmar et al. *Nossa paixão era inventar um novo tempo*. Rio de Janeiro: Editora Rosa dos Tempos, 1999.

SPIELER, Paula; QUEIROZ, Rafael (coord.). *Advocacia em tempos difíceis*: ditadura militar 1964-1985. Curitiba: Edição do Autor, 2013. Realização: Fundação Getúlio Vargas. Projeto Marcas da Memória, da Comissão de Anistia do Ministério da Justiça, Governo Federal.

VIANNA FILHO, Luís. *Anísio Teixeira*: a polêmica da educação. Rio de Janeiro: Nova Fronteira, 1990.

VIEIRA, Luís Guilherme; LIRA, Ricardo Pereira Lira (orgs.) et al. *Antonio Evaristo de Moraes Filho por seus amigos*. Obra coletiva. Rio de Janeiro: Renovar, 2001.

Este livro foi editado pela Edições de Janeiro.
O texto foi composto com as tipografias Gothan e Sabon
e impresso em papel Pólen Soft 80/m²
nas dependências da gráfica Rotaplan.